Longman

Listening
mentor joy

3
LEVEL

PEARSON

Longman
Listening Mentor Joy 3

지은이 교재개발연구소
편집 및 기획 English Nine
발행처 Pearson Education South Asia Pte Ltd.
판매처 inkedu(inkbooks)
전화 02-455-9620(주문 및 고객지원)
팩스 02-455-9619
등록 제13-579호

ISBN 979-11-88228-60-7
잘못된 책은 구입처에서 바꿔 드립니다.

INTRODUCTION

Listening Mentor Joy 시리즈는 총 5권 5레벨로 구성되어 있으며,
각 권마다 15회의 모의고사가 수록되어 있습니다.

단계	대상	활용 방안
	초등 3학년	• 정확한 알파벳 소리를 익힌다. • 영어 단어의 정확한 발음과 의미를 익힌다. • 한 문장으로 된 간단한 지시, 명령을 이해한다. • 간단한 대화의 내용을 이해한다. • 간단한 질문을 이해하고 대답할 수 있는 능력을 키운다.
	초등 3-4학년	• 영어 단어의 정확한 발음과 의미를 익힌다. • 한 문장으로 된 간단한 지시, 명령을 이해한다. • 일상생활에 관련된 쉽고 간단한 대화를 듣고 이해한다. • 수와 시각에 관한 간단한 대화를 듣고 이해한다. • 간단한 대화를 듣고, 대화가 일어난 장소와 시간 등을 안다.
	초등 4-5학년	• 한두 문장으로 된 명령이나 지시를 듣고 이해한다. • 간단한 대화를 듣고, 대화가 일어난 장소와 시간 등을 안다. • 일상생활과 관련된 쉽고 간단한 말을 듣고, 중심 낱말을 찾는다. • 시간과 수량에 관한 대화를 이해하고 대답할 수 있다. • 두 사람 간의 대화를 통해 내용을 이해할 수 있다. • 의문사를 이용한 질문을 이해하고 대답할 수 있다.
	초등 5-6학년	• 일상생활에 관한 쉽고 간단한 내용을 듣고, 의도나 목적을 이해한다. • 간단한 대화를 듣고 주제를 이해한다. • 간단한 말을 듣고 세부 사항을 이해한다. • 앞으로 일어날 일에 관한 간단한 말을 듣고 이해한다. • 의문사를 이용한 질문을 이해하고 답할 수 있다. • 대상을 비교하는 쉬운 말을 듣고 이해한다. • 간단한 전화 대화를 이해한다.
	예비중학생	• 자기소개를 하거나 위치를 묻고 말하는 내용을 이해한다. • 과거시제를 이용한 대화를 이해한다. • 대화를 듣고 세부 정보를 파악하거나 화자 간 관계를 추론할 수 있다. • 대화를 통해 화자의 의도나 목적을 추론할 수 있다. • 대화를 듣고 화자의 심정이나 태도 추론이 가능하고 관용적인 표현을 이해한다. • 간단한 전화 대화를 이해할 수 있으며, 좀 더 복잡한 시간과 수를 영어로 이해한다.

CONSTRUCTION

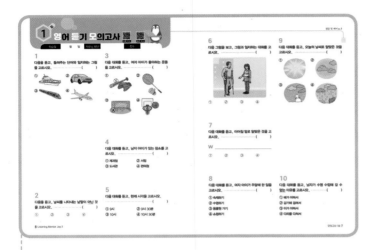

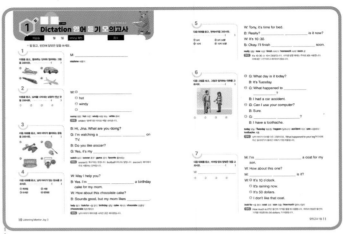

영어 듣기 모의고사

실제 모의고사에 나오는 다양한 문제들을 풀면서
영어 듣기 평가 시험에 대비합니다.

Dictation 영어 듣기 모의고사

모의고사에 나오는 단어와 문장, 표현들을 Dictation을
통해서 확인하고, 듣기 집중력과 청취력을 향상시킵니다.

Word Check

모의고사에 등장하는
핵심 단어들을 듣고
확인합니다.

Sentence Check

모의고사에 등장하는
핵심 문장을 듣고
확인합니다.

Vocabulary

모의고사 15회에
등장하는 모든 단어들을
회별로 다시 한 번 더
확인합니다.

정답 및 해석

모의고사와 Dictation의
답을 확인할 수 있으며,
모의고사에 등장하는
단어와 문장, 대화의
해석을 확인합니다.

CONTENTS

1회 영어 듣기 모의고사 ---- 06

2회 영어 듣기 모의고사 ---- 18

3회 영어 듣기 모의고사 ---- 30

4회 영어 듣기 모의고사 ---- 42

5회 영어 듣기 모의고사 ---- 54

6회 영어 듣기 모의고사 ---- 66

7회 영어 듣기 모의고사 ---- 78

8회 영어 듣기 모의고사 ---- 90

9회 영어 듣기 모의고사 ---- 102

10회 영어 듣기 모의고사 ---- 114

11회 영어 듣기 모의고사 ---- 126

12회 영어 듣기 모의고사 ---- 138

13회 영어 듣기 모의고사 ---- 150

14회 영어 듣기 모의고사 ---- 162

15회 영어 듣기 모의고사 ---- 174

Vocabulary ---- 186

1

다음을 듣고, 들려주는 단어와 일치하는 그림을 고르시오. ····························· (　　　)

① 　②

③ 　④

2

다음을 듣고, 날씨를 나타내는 낱말이 <u>아닌</u> 것을 고르시오. ·················· (　　　)

①　　②　　③　　④

3

다음 대화를 듣고, 여자 아이가 좋아하는 운동을 고르시오. ····················· (　　　)

① 　②

③ 　④

4

다음 대화를 듣고, 남자 아이가 있는 장소를 고르시오. ······························ (　　　)

① 제과점　　　　② 서점
③ 도서관　　　　④ 편의점

5

다음 대화를 듣고, 현재 시각을 고르시오.
······························ (　　　)

① 9시　　　　② 9시 30분
③ 10시　　　　④ 10시 30분

6

다음 그림을 보고, 그림과 일치하는 대화를 고르시오. ·····························(   )

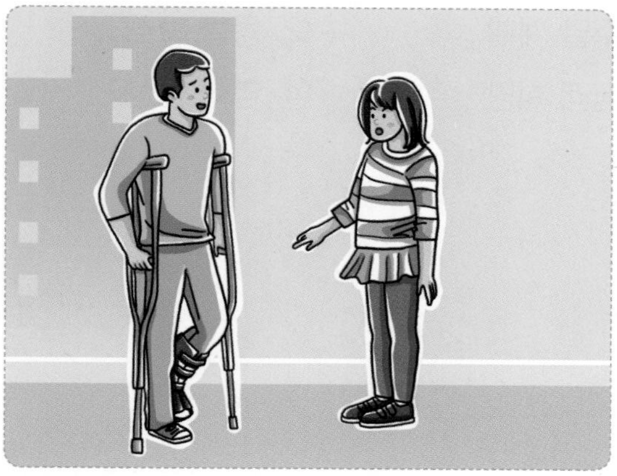

①   ②   ③   ④

7

다음 대화를 듣고, 이어질 말로 알맞은 것을 고르시오. ·····························(   )

W _____

①   ②   ③   ④

8

다음 대화를 듣고, 여자 아이가 주말에 한 일을 고르시오. ·····················(   )

① 숙제하기
② 수영하기
③ 동물원 가기
④ 쇼핑하기

9

다음 대화를 듣고, 오늘의 날씨로 알맞은 것을 고르시오. ·····················(   )

①   ②    ③    ④

10

다음 대화를 듣고, 남자가 수영 수업에 갈 수 <u>없는</u> 이유를 고르시오. ···············(   )

① 배가 아파서
② 감기에 걸려서
③ 이가 아파서
④ 다리를 다쳐서

11

다음 대화를 듣고, 두 사람의 가족을 합한 수를 고르시오. ······················ (   )

① 7   ② 9   ③ 10   ④ 11

12

다음 대화를 듣고, 여자가 찾고 있는 가방을 고르시오. ······························ (   )

①    ②

③    ④

13

다음 대화를 듣고, 두 사람이 만날 요일을 고르시오. ······························ (   )

① 월요일   ② 금요일
③ 토요일   ④ 일요일

14

다음 대화를 듣고, 무엇에 관해 이야기하고 있는지 고르시오. ······················ (   )

① 주말 계획   ② 동물 보호
③ 장래 희망   ④ 영화 감상

15

다음 그림을 보고, 그림 설명이 올바른 것을 고르시오. ······························ (   )

①   ②   ③   ④

16

다음 대화를 듣고, 여자가 가려고 하는 곳의 위치를 고르시오. ·················· (   )

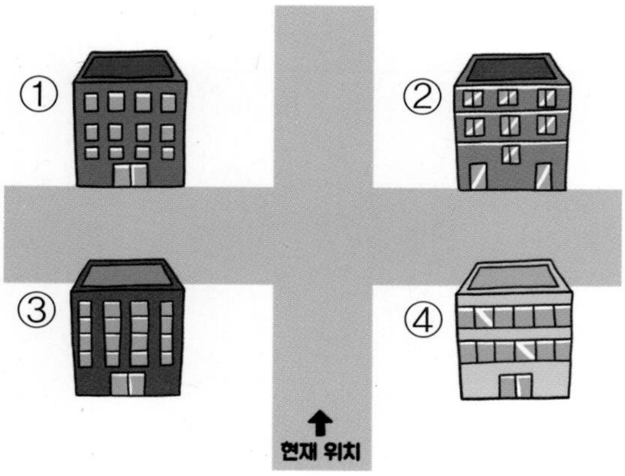

현재 위치

①   ②   ③   ④

17

다음 대화를 듣고, 대화가 자연스럽지 않은 것을 고르시오. ·················· (   )

①   ②   ③   ④

18

다음을 듣고, 이어질 말로 알맞은 것을 고르시오. ·················· (   )

W _____

①   ②   ③   ④

19

다음을 듣고, 이어질 말로 알맞은 것을 고르시오. ·················· (   )

M _____

①   ②   ③   ④

20

다음을 듣고, 이어질 말로 알맞지 않은 것을 고르시오. ·················· (   )

G _____

①   ②   ③   ④

● 잘 듣고, 빈칸에 알맞은 말을 쓰세요.

1

다음을 듣고, 들려주는 단어와 일치하는 그림을 고르시오. ················· (   )

① ② ③ ④

M: _____

airplane 비행기

2

다음을 듣고, 날씨를 나타내는 낱말이 <u>아닌</u> 것을 고르시오. ················· (   )

① ② ③ ④

W: ❶ _____

❷ hot

❸ windy

❹ _____

sunny 맑은 | hot 더운 | windy 바람 부는 | white 흰색

TIPS white는 '흰색'이란 의미로 색을 나타냅니다.

3

다음 대화를 듣고, 여자 아이가 좋아하는 운동을 고르시오. ················· (   )

① ② ③ ④

B: Hi, Jina. What are you doing?

G: I'm watching a _____ _____ on TV.

B: Do you like soccer?

G: Yes, it's my _____ _____.

watch 보다 | soccer 축구 | game 경기 | favorite 좋아하는

TIPS soccer는 '축구'라는 뜻입니다. football이라고도 말합니다. soccer는 북미에서 주로 사용하는 단어입니다.

4

다음 대화를 듣고, 남자 아이가 있는 장소를 고르시오. ················· (   )

① 제과점   ② 서점
③ 도서관   ④ 편의점

W: May I help you?

B: Yes. I'm _____ _____ a birthday cake for my mom.

W: How about this chocolate cake?

B: Sounds good, but my mom likes _____.

help 돕다 | look for ~을 찾다 | birthday 생일 | cake 케이크 | chocolate 초콜릿 | cheesecake 치즈케이크

TIPS 남자 아이가 케이크를 사러간 곳은 제과점입니다.

5

다음 대화를 듣고, 현재 시각을 고르시오.
······················· (   )

① 9시
② 9시 30분
③ 10시
④ 10시 30분

W: Tony, it's time for bed.

B: Really? _____ _____ is it now?

W: It's 10:30.

B: Okay. I'll finish _____ _____ soon.

really 정말 | now 지금 | finish 마치다 | homework 숙제 | soon 곧

TIPS It's 10:30.는 10시 30분입니다. 시각을 말할 때에는 주어로 it을 사용합니다. 이때 it은 '그것'이라고 해석하지 않습니다.

6

다음 그림을 보고, 그림과 일치하는 대화를 고르시오. ······················· (   )

① ② ③ ④

❶ G: What day is it today?

   B: It's Tuesday.

❷ G: What happened to _____ _____?

   B: I had a car accident.

❸ G: Can I use your computer?

   B: Sure.

❹ G: _____ _____?

   B: I have a toothache.

today 오늘 | Tuesday 화요일 | happen 일어나다 | accident 사고 | use 사용하다 | wrong 틀린, 잘못된 | toothache 치통

TIPS 남자 아이가 다리를 다친 그림이므로, What happened to your leg?(다리에 무슨 일이야?)가 들어간 대화가 가장 어울립니다.

7

다음 대화를 듣고, 이어질 말로 알맞은 것을 고르시오. ······················· (   )

W _____

① ② ③ ④

M: I'm _____ _____ a coat for my son.

W: How about this one?

M: _____ _____ is it?

W: ❶ It's 10 o'clock.

   ❷ It's raining now.

   ❸ It's 50 dollars.

   ❹ I don't like that coat.

look for ~을 찾다 | coat 코트 | son 아들 | how much (가격) 얼마, (양) 어느 정도

TIPS How much is it?은 물건의 가격을 물을 때 사용합니다. 따라서 정답은 물건의 가격을 대답한 It's 50 dollars.가 어울립니다.

8

다음 대화를 듣고, 여자 아이가 주말에 한 일을 고르시오. ·················· ( )

① 숙제하기
② 수영하기
③ 동물원 가기
④ 쇼핑하기

9

다음 대화를 듣고, 오늘의 날씨로 알맞은 것을 고르시오. ·················· ( )

① ② ③ ④

10

다음 대화를 듣고, 남자가 수영 수업에 갈 수 없는 이유를 고르시오. ············· ( )

① 배가 아파서
② 감기에 걸려서
③ 이가 아파서
④ 다리를 다쳐서

11

다음 대화를 듣고, 두 사람의 가족을 합한 수를 고르시오. ·················· ( )

① 7 　　② 9 　　③ 10 　　④ 11

G: Sam, what did you do ＿＿＿＿＿＿＿＿ ＿＿＿＿＿＿＿？

B: I went to the zoo with my family. How about you?

G: I ＿＿＿＿＿＿＿＿ ＿＿＿＿＿＿＿＿ with my mom. She bought me new shoes.

B: Oh, that's great.

weekend 주말 | zoo 동물원 | family 가족 | bought 사다(buy)의 과거형 | shoes 신발

TIPS go shopping은 '쇼핑하다'라는 의미입니다.

M: Do we have good ＿＿＿＿＿＿＿＿ today?

W: No, we don't. It's ＿＿＿＿＿＿＿＿. Take an umbrella with you.

good 좋은 | weather 날씨 | today 오늘 | umbrella 우산

TIPS raining, umbrella의 단어를 들었다면 오늘의 날씨가 어떤지 알 수 있습니다.

M: I ＿＿＿＿＿＿＿＿ ＿＿＿＿＿＿＿＿ to my swimming lessons today.

W: Why? Are you busy today?

M: No. I ＿＿＿＿＿＿＿＿ ＿＿＿＿＿＿＿＿ ＿＿＿＿＿＿＿＿ ＿＿＿＿＿＿＿＿.

W: Oh, you have a cold? That's too bad.

lesson 수업 | busy 바쁜 | have a cold 감기에 걸리다

B: Susan, ＿＿＿＿＿＿＿＿ ＿＿＿＿＿＿＿＿ people are in your family?

G: I have ＿＿＿＿＿＿＿＿ ＿＿＿＿＿＿＿＿ in my family. You have ＿＿＿＿＿＿ people in your family, right?

B: Yes, that's right. They are my parents, two sisters, and me.

G: Do you have any pets?

B: No, I don't.

people 사람들 | family 가족 | parents 부모 | pet 반려동물

TIPS 수잔은 가족이 4명이고, 남자 아이는 5명입니다.

12

다음 대화를 듣고, 여자가 찾고 있는 가방을 고르시오. ·················· (   )

① ② ③ ④

M: How can I help you?

W: I left my bag on the subway this morning.

M: What does it _____ _____?

W: It is _____ and has a picture of a bear _____ _____ _____.

left 두다(leave)의 과거형 | **bag** 가방 | **subway** 지하철 | **this morning** 오늘 아침 | **look like** ~처럼 생기다 | **picture** 그림 | **bear** 곰 | **top** 맨 위

TIPS yellow은 '노란색'이란 의미이며 a picture of a bear on the top은 '가방 윗부분에 곰 그림'이라는 의미입니다.

13

다음 대화를 듣고, 두 사람이 만날 요일을 고르시오. ·················· (   )

① 월요일 ② 금요일
③ 토요일 ④ 일요일

B: Would you like to go to the museum on Thursday?

G: Oh, sorry, but I can't. I have _____ _____ on Thursday.

B: Then, how about _____ _____?

G: Sure. I'm free next Monday.

museum 박물관 | **Thursday** 목요일 | **how about** ~하는 게 어때 | **next Monday** 다음 주 월요일 | **free** 한가한

TIPS Thursday는 '목요일', Monday는 '월요일'입니다.

14

다음 대화를 듣고, 무엇에 관해 이야기하고 있는지 고르시오. ·················· (   )

① 주말 계획 ② 동물 보호
③ 장래 희망 ④ 영화 감상

B: What do you want to be in the future?

G: I want to be a _____.

B: Why do you want to be a veterinarian?

G: I like animals. What about you, Mike?

B: I want to be a _____ _____.

future 장래 | **veterinarian** 수의사 | **movie director** 영화 감독

TIPS What do you want to be in the future?는 '너는 장래 희망이 뭐니?'라는 의미입니다.

15

다음 그림을 보고, 그림 설명이 올바른 것을 고르시오. .... (　　)

① ② ③ ④

M: ① There is a computer on the bed.

② There is a cat _____ _____

_____.

③ There are books on the floor.

④ There is a _____ on the wall.

computer 컴퓨터 | **bed** 침대 | **floor** 바닥 | **picture** 그림 | **wall** 벽

TIPS 컴퓨터는 침대가 아닌 책상 위에 있으며, 바닥에는 책이 아닌 고양이가 있습니다.

16

다음 대화를 듣고, 여자가 가려고 하는 곳의 위치를 고르시오. .... (　　)

① ② ③ ④
현재 위치
① ② ③ ④

W: Excuse me. Would you show me the way to the station?

M: Go up one block and _____ _____.
It's on your _____.

W: Thank you very much.

M: My pleasure.

show 보여주다 | **station** 역 | **block** 블록 | **left** 왼쪽 | **right** 오른쪽 | **pleasure** 즐거움

TIPS turn left는 '왼쪽으로 가라'라는 의미이며, on your right는 '너의 오른쪽에'라는 의미입니다.

17

다음 대화를 듣고, 대화가 자연스럽지 않은 것을 고르시오. .... (　　)

① ② ③ ④

① B: _____ _____ are you?
G: I'm eleven.

② B: Is this your pencil?
G: No, it isn't.

③ B: Do you like apples?
G: Yes, _____ _____.

④ B: How is the weather today?
G: It's cloudy.

how old 얼마나 나이가 많은 | **pencil** 연필 | **apple** 사과 | **weather** 날씨 | **cloudy** 흐린

TIPS Do you like apples?처럼 do로 물으면, do를 이용하여 답합니다.
Yes, I do. / No, I don't. 응, 그래 / 아니, 그렇지 않아.

18

다음을 듣고, 이어질 말로 알맞은 것을 고르시오. ·········· (   )

W _____

① ② ③ ④

M: May I _____ you?

W: ❶ Yes, please. I'd _____ _____
_____ a T-shirt.

❷ Yes, I can help you.

❸ Yes, you are right.

❹ You _____ _____ today.

T-shirt 티셔츠 | **right** 옳은 | **tired** 피곤한 | **today** 오늘

TIPS May I help you? 또는 Can I help you?는 상점의 종업원이 손님에게 할 수 있는 말로 이때, Yes, I'm looking for ~.로도 대답할 수 있습니다.

19

다음을 듣고, 이어질 말로 알맞은 것을 고르시오. ·········· (   )

M _____

① ② ③ ④

W: What's your _____ _____?

M: ❶ I like Korean food.

❷ I like reading.

❸ I like _____.

❹ They are not my dogs.

favorite 좋아하는 | **color** 색 | **Korean food** 한국 음식 | **reading** 독서 | **pink** 분홍색

TIPS favorite color는 '좋아하는 색'입니다.

20

다음을 듣고, 이어질 말로 알맞지 <u>않은</u> 것을 고르시오. ·········· (   )

G _____

① ② ③ ④

B: Why were you _____ _____
_____ yesterday?

G: ❶ I got up late.

❷ I missed the school bus.

❸ I was sick.

❹ My school is _____ my house.

late 늦은, 늦게 | **yesterday** 어제 | **get up** 일어나다 | **miss** 놓치다 | **sick** 아픈 |
near 가까운

TIPS why는 이유를 물을 때 사용합니다. 어제 지각한 이유에 대한 대답으로 알맞지 않은 것은 ④번입니다.

● 다음 들려주는 단어의 의미를 쓰세요.

단어	의미
01 airplane	비행기
02 favorite	
03 birthday	
04 homework	
05 happen	
06 accident	
07 toothache	
08 weekend	
09 family	
10 people	
11 subway	
12 free	
13 future	
14 floor	
15 wall	

● 앞에 모의고사에 나오는 문장들을 잘 듣고, 빈칸을 완성하세요.

01 I'm watching a ___soccer___ ___game___ on TV.

02 I'm _____ _____ a birthday cake for my mom.

03 I'll _____ my homework _____.

04 I _____ _____ with my mom.

05 Take an umbrella _____ _____.

06 I have a _____ _____.

07 I have _____ _____ in my family.

08 I left my bag on the subway _____ _____.

09 I have piano lessons _____ _____.

10 I want to be _____ _____.

11 There is a picture _____ _____ _____.

12 Go up one block and _____ _____.

13 _____ _____ _____ buy a T-shirt.

14 I like _____.

15 My school _____ _____ my house.

학습일 　월　일 부모님 확인 　　　점수

1

다음을 듣고, 그림과 일치하는 낱말을 고르시오. ································ (　　)

① 　　　② 　　　③ 　　　④

2

다음을 듣고, 색을 나타내는 낱말이 <u>아닌</u> 것을 고르시오. ···················· (　　)

① 　　　② 　　　③ 　　　④

3

다음을 듣고, 도움을 청하는 표현을 고르시오. ···································· (　　)

① 　　　② 　　　③ 　　　④

4

다음 대화를 듣고, 현재 시각을 고르시오. ···································· (　　)

① 1시 　　　　② 1시 30분
③ 2시 　　　　④ 2시 30분

5

다음 대화를 듣고, 여자 아이가 좋아하는 음식을 고르시오. ···················· (　　)

①  　　　②
③  　　　④

6

다음 대화를 듣고, 두 사람이 있는 장소를 고르시오. ···························· (   )

① 모자 판매점   ② 서점
③ 도서관   ④ 신발 가게

7

다음 그림을 보고, 그림과 일치하는 대화를 고르시오. ························· (   )

①   ②   ③   ④

8

다음 대화를 듣고, 남자 아이가 도서관에 가는 이유를 고르시오. ··················· (   )

① 공부를 하기 위해
② 책을 빌리기 위해
③ 책을 반납하기 위해
④ 친구를 만나기 위해

9

다음 대화를 듣고, 두 사람이 이번 토요일에 할 일을 고르시오. ······················· (   )

①

②

③

④

10

다음 대화를 듣고, 남자 아이가 어제 한 일을 고르시오. ·································· (   )

① 숙제하기   ② 청소하기
③ 쇼핑하기   ④ 개 산책시키기

11

다음 대화를 듣고, 책이 모두 몇 권 있는지 고르시오. ···························· (   )

① 7권   ② 8권   ③ 9권   ④ 10권

12

다음 대화를 듣고, 여자의 여동생을 고르시오.
·· (   )

①

②

③

④

13

다음 대화를 듣고, 대화가 자연스럽지 <u>않은</u> 것을 고르시오. ·························· (   )

①   ②   ③   ④

14

다음 대화를 듣고, 여자 아이가 원하는 선물을 <u>고르시오.</u> ····························· (   )

① 가방   ② 강아지
③ 모자   ④ 자전거

15

다음 대화를 듣고, 대화에 알맞은 그림을 고르시오. ································· (   )

①

②

③

④

16

다음을 듣고, 무엇에 관한 내용인지 고르시오.
.... (   )

① 장래 희망 　　② 겨울방학 계획

③ 자기소개 　　④ 친구 초대

17

다음 그림을 보고, 그림에 대한 설명으로 옳지
<u>않은</u> 것을 고르시오. .... (   )

① 　　　② 　　　③ 　　　④

18

다음을 듣고, 이어질 말로 알맞은 것을 고르시
오. .... (   )

W _____

① 　　　② 　　　③ 　　　④

19

다음을 듣고, 이어질 말로 알맞은 것을 고르시
오. .... (   )

W _____

① 　　　② 　　　③ 　　　④

20

다음 대화를 듣고, 이어질 말로 알맞은 것을 고
르시오. .... (   )

M _____

① 　　　② 　　　③ 　　　④

보통 속도 빠른 속도

정답 및 해석 p. 5

Dictation 영어 듣기 모의고사

| 학습일 | 월 일 | 부모님 확인 | 점수 |

● 잘 듣고, 빈칸에 알맞은 말을 쓰세요.

1

다음을 듣고, 그림과 일치하는 낱말을 고르시오. ·························· (   )

① ② ③ ④

M: ❶ lamp

❷ _____

❸ subway

❹ _____

lamp 전등 | sister 누나, 여동생 | subway 지하철 | bicycle 자전거

2

다음을 듣고, 색을 나타내는 낱말이 <u>아닌</u> 것을 고르시오. ·························· (   )

① ② ③ ④

W: ❶ _____

❷ black

❸ _____

❹ blue

white 흰색 | black 검은색 | windy 바람 부는 | blue 파란색

TIPS windy는 '바람 부는'이라는 의미로 날씨를 표현할 때 사용합니다.

M: ❶ What are you doing?

❷ Can you _____ _____, please?

❸ Is this your backpack?

❹ I'm sorry. I can't help you.

help 돕다 | backpack 배낭 | sorry 미안한

TIPS 도움을 청하는 표현을 고르는 문제로 이와 연관된 단어(help)를 들었다면 정답을 알 수 있습니다.

3

다음을 듣고, 도움을 청하는 표현을 고르시오. ·························· (   )

① ② ③ ④

4

다음 대화를 듣고, 현재 시각을 고르시오. ·························· (   )

① 1시   ② 1시 30분
③ 2시   ④ 2시 30분

W: Tony, _____ _____ does the movie start?

M: It starts at 2 o'clock.

W: What time is it now?

M: It's _____.

movie 영화 | start 시작하다 | o'clock 시 | now 지금

TIPS It's 1:30.은 '1시 30분'입니다.

5

다음 대화를 듣고, 여자 아이가 좋아하는 음식을 고르시오. ·············· (　　)

①  ②  ③  ④

B: Hi, Jina. What are you going to eat for lunch?

G: I'm ＿＿＿＿＿ ＿＿＿＿＿ ＿＿＿＿＿ bibimbap.

B: What is bibimbap?

G: Bibimbap is a traditional ＿＿＿＿＿ ＿＿＿＿＿. It's my favorite food.

lunch 점심(식사) | traditional 전통의 | dish 음식 | favorite 가장 좋아하는 | food 음식

TIPS 비빔밥은 한국 전통 음식입니다.

6

다음 대화를 듣고, 두 사람이 있는 장소를 고르시오. ·············· (　　)

① 모자 판매점　　② 서점
③ 도서관　　④ 신발 가게

M: Can I help you?

W: Yes, I'm looking for a ＿＿＿＿＿ ＿＿＿＿＿ for my son.

M: How about this one?

W: That's too big for him.

M: Then, how about this ＿＿＿＿＿ ＿＿＿＿＿?

W: It looks good. I'll take it.

look for ~을 찾다 | baseball cap 야구모자 | son 아들 | big 큰 | yellow 노란 | take 사다

TIPS baseball cap은 '야구모자'를 의미합니다.

7

다음 그림을 보고, 그림과 일치하는 대화를 고르시오. ·············· (　　)

① ② ③ ④

❶ M: Can I see your book?

　　W: Sure, ＿＿＿＿＿ ＿＿＿＿＿ ＿＿＿＿＿.

❷ M: Can you play the violin?

　　W: Yes, I can.

❸ M: Excuse me. How can I get to the city hall?

　　W: ＿＿＿＿＿ ＿＿＿＿＿ two blocks.

❹ M: Where are you going?

　　W: I'm going to the cafeteria.

here 여기 | city hall 시청 | straight 곧장 | block 블록 | cafeteria 구내식당

TIPS 길거리에서 길을 묻는 그림이므로 이와 관련된 표현을 알아야 합니다.

8

다음 대화를 듣고, 남자 아이가 도서관에 가는 이유를 고르시오. ·············· (   )

① 공부를 하기 위해
② 책을 빌리기 위해
③ 책을 반납하기 위해
④ 친구를 만나기 위해

G: Hi, Mike. Where are you going?

B: I'm going to the _____.

G: What for?

B: I'm going to _____ _____

_____.

library 도서관 | borrow 빌리다 | some 조금, 몇 개의 | book 책

TIPS borrow some books는 '책을 좀 빌리다'라는 의미입니다.

9

다음 대화를 듣고, 두 사람이 이번 토요일에 할 일을 고르시오. ·············· (   )

①
②
③
④

B: What do you do on Saturdays?

G: I _____ _____. How about you?

B: I just watch TV at home.

G: You are so lazy! Let's go swimming together

_____ _____.

B: All right. Let's do that.

Saturday 토요일 | lazy 게으른 | together 함께

TIPS Let's go swimming together. 는 '함께 수영하자.'라는 의미입니다.

10

다음 대화를 듣고, 남자 아이가 어제 한 일을 고르시오. ·············· (   )

① 숙제하기   ② 청소하기
③ 쇼핑하기   ④ 개 산책시키기

G: Hi, Paul. Did you _____ _____ yesterday?

B: No, I didn't. I went to the park.

G: Why did you go there?

B: I _____ _____ _____.

stay 머무르다 | yesterday 어제 | park 공원 | walk 산책시키다

TIPS walk a dog는 '개를 산책시키다'라는 의미입니다.

11

다음 대화를 듣고, 책이 모두 몇 권 있는지 고르시오. ·········· (   )

① 7권　　② 8권　　③ 9권　　④ 10권

B: _____ _____ books are there on the desk?

G: There are _____ books.

B: How many books are there in your bag?

G: There are _____ _____.

how many 얼마나 많이 | desk 책상 | bag 가방

TIPS 책상 위에 3권, 가방에 4권의 책이 있습니다.

12

다음 대화를 듣고, 여자의 여동생을 고르시오. ·········· (   )

① ② ③ ④

M: What does your sister _____ _____?

W: She has long hair.

M: Is she wearing pants?

W: No, she's wearing a _____ _____.

look like ~처럼 생기다 | hair 머리카락 | wear 입다 | pants 바지 | skirt 치마

TIPS long hair는 '긴 머리'이고, a red skirt는 '빨간 치마'를 의미합니다.

13

다음 대화를 듣고, 대화가 자연스럽지 않은 것을 고르시오. ·········· (   )

① ② ③ ④

❶ B: How tall are you?

G: I'm 160 cm tall.

❷ B: Let's _____ _____.

G: Sorry, I can't. I'm tired.

❸ B: What are you doing?

G: I'm doing my homework.

❹ B: _____ _____ pencils do you have?

G: I'm twelve years old.

tall 키가 큰 | basketball 농구 | tired 피곤한

TIPS How many pencils do you have?로 물으면 I have three pencils. 등으로 답할 수 있습니다. I'm twelve years old.는 '나는 12살입니다.'라는 의미로 How old are you?라고 물을 때의 답변입니다.

14

다음 대화를 듣고, 여자 아이가 원하는 선물을
고르시오. ·························· (   )

① 가방   ② 강아지
③ 모자   ④ 자전거

G: My _____ is next Friday.

B: Are you going to invite your friends on your
birthday?

G: Yes, I am.

B: What do you _____ _____ your
birthday?

G: I want a _____.

birthday 생일 | Friday 금요일 | invite 초대하다 | puppy 강아지

TIPS puppy는 '강아지'라는 의미입니다.

15

다음 대화를 듣고, 대화에 알맞은 그림을 고르
시오. ·························· (   )

① ② ③ ④

M: May I take your _____?

W: I'd like to have a _____.

M: Anything to drink?

W: One orange _____, please.

order 주문 | hamburger 햄버거 | anything 무엇이든 | drink 마시다 | juice 주스

TIPS 두 사람이 order(주문), hamburger(햄버거), drink(마시다), juice
(주스) 등의 단어를 사용하고 있으므로 쉽게 정답을 알 수 있습니다.

16

다음을 듣고, 무엇에 관한 내용인지 고르시오.
·························· (   )

① 장래 희망   ② 겨울방학 계획
③ 자기소개   ④ 친구 초대

G: Hi, everyone. I'm happy to meet you.

My _____ is Alice.

I am 11 years old. I'm _____ Canada.

This is my _____ day at a Korean school.

everyone 모두 | meet 만나다 | name 이름 | Canada 캐나다 | first 처음의

TIPS 앨리스가 한국 학교에 와서 자기소개를 하고 있습니다.

17

다음 그림을 보고, 그림에 대한 설명으로 옳지
않은 것을 고르시오. ················· (   )

① ② ③ ④

W: ❶ There is a _____ on the wall.

❷ There is a picture on the wall.

❸ A _____ is sitting on the sofa.

❹ A girl is _____ a book.

clock 시계 | wall 벽 | picture 그림 | sofa 소파

TIPS 소파에는 여자 아이가 앉아 있습니다.

18

다음을 듣고, 이어질 말로 알맞은 것을 고르시오. ·········· (   )

W _____

① ② ③ ④

M: _____ _____ for helping me.

W: ❶ It's my _____.

❷ I don't feel good.

❸ I want to have pizza.

❹ It's raining now.

pleasure 기쁨 | feel good 기분이 좋다 | rain 비가 오다

TIPS 누군가 나에게 감사 인사를 할 때에는 It's my pleasure.(도와드릴 수 있어서 기뻐요.)나 Don't mention it.(별말씀을요.) 등으로 대답할 수 있습니다.

19

다음을 듣고, 이어질 말로 알맞은 것을 고르시오. ·········· (   )

W _____

① ② ③ ④

M: What's the _____?

W: ❶ I'm _____ to meet you.

❷ It's not my house.

❸ I have a _____.

❹ I have some money.

problem 문제 | glad 기쁜 | meet 만나다 | house 집 | toothache 치통 | money 돈

TIPS What's the problem?은 '무슨 일인데요?'나 '어디가 아파요?'라는 의미입니다.

20

다음 대화를 듣고, 이어질 말로 알맞은 것을 고르시오. ·········· (   )

M _____

① ② ③ ④

M: How's it going, Jina?

W: Not so good. I _____ _____
_____.

M: ❶ I'm hungry.

❷ That's _____ _____.

❸ The water is very cold.

❹ I'm not good at English.

good 좋은 | have a cold 감기 걸리다 | hungry 배고픈 | cold 추운, 차가운 |
be good at ~을 잘하다

TIPS That's too bad.는 '그거 안됐군요.'라는 의미로 상대방에게 안타까운 마음을 표현할 때 사용합니다.

● 다음 들려주는 단어의 의미를 쓰세요.

단어	의미
01 lamp	전등
02 bicycle	
03 traditional	
04 cafeteria	
05 straight	
06 borrow	
07 together	
08 yesterday	
09 park	
10 wear	
11 pants	
12 tired	
13 invite	
14 birthday	
15 puppy	

● 앞에 모의고사에 나오는 문장들을 잘 듣고, 빈칸을 완성하세요.

01 ___What___ ___time___ does the movie start?

02 Bibimbap is a traditional _____ _____.

03 I'm looking for a _____ _____ for my son.

04 _____ _____ two blocks.

05 I'm going to _____ _____ _____.

06 Let's _____ _____ together this Saturday.

07 I _____ my dog.

08 _____ _____ books are there on the desk?

09 She is wearing a _____ _____.

10 Let's _____ _____.

11 My birthday is _____ _____.

12 I'd _____ _____ have a hamburger.

13 I'm _____ _____.

14 Thank you for _____ _____.

15 I have a _____.

1

다음을 듣고, 그림과 일치하는 낱말을 고르시오. ························· (   )

① ② ③ ④

2

다음을 듣고, 직업을 나타내는 낱말이 <u>아닌</u> 것을 고르시오. ························· (   )

① ② ③ ④

3

다음을 듣고, 축하하는 표현을 고르시오. ······································· (   )

① ② ③ ④

4

다음 대화를 듣고, 남자 아이의 상태를 고르시오. ······························· (   )

①  ②

③  ④

5

다음 대화를 듣고, 누구에 대해 이야기하고 있는지 고르시오. ························ (   )

① 여자의 여동생   ② 여자의 선생님
③ 여자의 어머니   ④ 여자의 남동생

6

다음 대화를 듣고, James가 결석한 이유로 알맞은 것을 고르시오. ·············· (   )

① 팔을 다쳐서 ② 감기에 걸려서

③ 배탈이 나서 ④ 어머니가 입원해서

7

다음 대화를 듣고, 학교 수업이 몇 시에 끝나는지 고르시오. ························ (   )

① 9시 ② 2시

③ 3시 ④ 4시

8

다음 그림을 보고, 그림과 일치하는 대화를 고르시오. ························ (   )

①   ②   ③   ④

9

다음 대화를 듣고, 여자 아이가 좋아하는 계절을 고르시오. ························ (   )

① 봄 ② 여름

③ 가을 ④ 겨울

10

다음 대화를 듣고, 남자 아이가 방과 후 할 일을 고르시오. ························ (   )

① 수영하기 ② 책 반납하기

③ 영화보기 ④ 박물관 가기

11

다음 대화를 듣고, 여자 아이가 말할 수 있는 언어를 고르시오. ··················· (   )

① 중국어 ② 한국어

③ 프랑스어 ④ 일본어

12

다음 대화를 듣고, 여자 아이의 고양이를 고르시오. ···························· (   )

①

②

③

④

13

다음 대화를 듣고, 대화가 자연스럽지 않은 것을 고르시오. ···························· (   )

①   ②   ③   ④

14

다음 대화를 듣고, 대화가 일어나는 장소를 고르시오. ···························· (   )

① 박물관   ② 도서관

③ 수족관   ④ 동물원

15

다음 대화를 듣고, 남자 아이의 엄마를 고르시오. ···························· (   )

①

②

③

④

16

다음을 듣고, 무엇에 관한 내용인지 고르시오.
··································· (   )

① 영화 소개   ② 책 소개
③ 음식 소개   ④ 날씨 예보

18

다음 대화를 듣고, 남자 아이가 어제 한 일이
<u>아닌</u> 것을 고르시오. ··············· (   )

① 숙제하기   ② 청소하기
③ 영화 보기   ④ 동생 돌보기

19

다음을 듣고, 이어질 말로 알맞은 것을 고르시
오. ································· (   )

M _____

①   ②   ③   ④

17

다음 그림을 보고, 그림에 대한 설명으로 옳지
<u>않은</u> 것을 고르시오. ··············· (   )

①   ②   ③   ④

20

다음 대화를 듣고, 이어질 말로 알맞은 것을 고
르시오. ································· (   )

B _____

①   ②   ③   ④

3회 Dictation 영어 듣기 모의고사

보통 속도 | 빠른 속도

| 학습일 | 월 일 | 부모님 확인 | 점수 |

● 잘 듣고, 빈칸에 알맞은 말을 쓰세요.

1

다음을 듣고, 그림과 일치하는 낱말을 고르시오. ······················· (   )

① ② ③ ④

M: ❶ _____

❷ water

❸ _____

❹ flower

picture 그림 | water 물 | scissors 가위 | flower 꽃

2

다음을 듣고, 직업을 나타내는 낱말이 <u>아닌</u> 것을 고르시오. ······················· (   )

① ② ③ ④

W: ❶ _____

❷ lawyer

❸ teacher

❹ _____

doctor 의사 | lawyer 변호사 | teacher 선생님 | soccer 축구

TIPS soccer(축구)는 운동경기 이름입니다.

3

다음을 듣고, 축하하는 표현을 고르시오. ······················· (   )

① ② ③ ④

W: ❶ Here it is.

❷ _____!

❸ That's too bad.

❹ You're _____.

congratulations 축하해 | welcome 환영받는

TIPS Here it is.는 '여기 있어요.'라는 의미로 물건을 줄 때 사용하며, You're welcome.은 '천만에요.'라는 의미로 '고맙다'는 말에 대한 정중한 인사입니다.

4

다음 대화를 듣고, 남자 아이의 상태를 고르시오. ·············· (   )

① ②

③ ④

G: How are you _____ today?

B: I'm not good. I have a _____.

G: Did you go to the _____?

B: Yes, I did.

feel 느끼다 | today 오늘 | toothache 치통 | dentist 치과의사

TIPS toothache(치통), dentist(치과의사)의 표현 등으로 쉽게 정답을 알 수 있습니다.

5

다음 대화를 듣고, 누구에 대해 이야기하고 있는지 고르시오. ·············· (   )

① 여자의 여동생　　② 여자의 선생님
③ 여자의 어머니　　④ 여자의 남동생

M: Who is playing the piano?

W: _____ _____ is playing the piano.

M: Is your mom a _____?

W: No, she's a nurse.

play the piano 피아노를 치다 | pianist 피아니스트 | nurse 간호사

TIPS 여자의 어머니가 피아노를 치고 있으며, 직업은 간호사입니다.

6

다음 대화를 듣고, James가 결석한 이유로 알맞은 것을 고르시오. ·············· (   )

① 팔을 다쳐서　　② 감기에 걸려서
③ 배탈이 나서　　④ 어머니가 입원해서

B: Why is James _____ today?

G: He's in the hospital.

B: What happened?

G: He _____ _____ _____ yesterday.

B: That's too bad.

absent 결석한 | today 오늘 | hospital 병원 | happen 일어나다 |
broke 부러지다(break)의 과거형 | arm 팔 | yesterday 어제

TIPS broke his arm은 '팔이 부러졌다'라는 의미입니다.

7

다음 대화를 듣고, 학교 수업이 몇 시에 끝나는지 고르시오. ·············· (   )

① 9시　　② 2시
③ 3시　　④ 4시

M: What time does your school begin?

G: It _____ at 9 o'clock.

M: _____ _____ does it finish?

G: School _____ at 3.

begin 시작하다 | o'clock 시 | finish 마치다

TIPS finish는 '마치다'라는 의미이며, at 3는 3시입니다.

8

다음 그림을 보고, 그림과 일치하는 대화를 고르시오. ···················· (　　)

① ② ③ ④

❶ W: What's your name?

　M: My name is James Brown.

❷ W: Are you _____?

　M: Yes. Let's order some pizza.

❸ W: Let's _____ the street.

　M: Stop, Jane! It's a _____

　　_____.

❹ W: Are there many cars on the road?

　M: Yes, there are.

name 이름 | hungry 배고픈 | order 주문하다 | cross 건너다 | street 길, 거리 |
red light 빨간 신호 | road 도로

TIPS 그림의 상황과 관련된 단어로 street(길), red light(빨간 신호)가 있습니다.

9

다음 대화를 듣고, 여자 아이가 좋아하는 계절을 고르시오. ···················· (　　)

① 봄　　　　　② 여름
③ 가을　　　　④ 겨울

G: What's your _____ _____?

B: I like summer. I like swimming in the sea. How about you?

G: I like _____.

B: Why do you like spring?

G: We can see a lot of beautiful _____.

favorite 좋아하는 | season 계절 | summer 여름 | sea 바다 | spring 봄 |
a lot of 많은 | beautiful 아름다운 | flower 꽃

TIPS 사계절은 spring(봄), summer(여름), fall(가을), winter(겨울)입니다.

10

다음 대화를 듣고, 남자 아이가 방과 후 할 일을 고르시오. ···················· (　　)

① 수영하기　　　② 책 반납하기
③ 영화보기　　　④ 박물관 가기

G: Sam, let's go to the _____ after school.

B: I'd like to, but I can't. I have to go the _____.

G: What for?

B: I have to _____ _____ _____ by today.

museum 박물관 | after school 방과 후에 | library 도서관 | return 반납하다 | by ~까지

TIPS return books는 '책을 반납하다'라는 의미입니다.

11

다음 대화를 듣고, 여자 아이가 말할 수 있는 언어를 고르시오. ········· (   )

① 중국어   ② 한국어
③ 프랑스어   ④ 일본어

B: Amy, can you _____ _____?

G: Yes, I can. I like learning Korean.

B: That's cool. Can you speak Chinese, too?

G: No, but I'm going to learn Chinese _____

_____.

speak 말하다 | **Korean** 한국어 | **learn** 배우다 | **Chinese** 중국어 | **too** 역시 |
next year 내년

TIPS 여자 아이는 Korean(한국어)을 할 수 있고, Chinese(중국어)는 할 수 없다고
말하고 있습니다.

12

다음 대화를 듣고, 여자 아이의 고양이를 고르시오. ········· (   )

①
②
③
④

B: Do you have a cat?

G: Yes, I have a cat.

B: What does it _____ _____?

G: It's _____ and has a long _____.

look like ~처럼 생기다 | **black** 검은 | **long** 긴 | **tail** 꼬리

TIPS 여자 아이의 고양이는 검정색이고 꼬리가 깁니다. a long tail의 의미를 알아야
문제를 쉽게 해결할 수 있습니다.

13

다음 대화를 듣고, 대화가 자연스럽지 <u>않은</u> 것을 고르시오. ········· (   )

①   ②   ③   ④

❶ B: _____ _____ are you?

G: I'm twelve years old.

❷ B: What are you eating?

G: I'm eating a banana.

❸ B: Let's go to the beach tomorrow.

G: Sounds good.

❹ B: _____ _____ you today?

G: Today is _____.

how old 얼마나 나이 먹은 | **eat** 먹다 | **beach** 해변 | **tomorrow** 내일 | **Friday** 금요일

TIPS How are you today?는 '너 오늘 어때?'라는 의미로 이에 대한 대답으로
I'm good. 등으로 대답할 수 있습니다.

14

다음 대화를 듣고, 대화가 일어나는 장소를 고르시오. ………… ( )

① 박물관   ② 도서관
③ 수족관   ④ 동물원

W: Look at the _____!

B: Mom, there is a _____ near the lions.

W: Yes, it is very big.

B: Mom, where are the pandas?

W: There aren't any pandas in _____

_____.

bear 곰 | tiger 호랑이 | near 근처에 | panda 판다 | zoo 동물원
TIPS 여자의 마지막 말 in this zoo를 이해하면 쉽게 정답을 알 수 있습니다.

15

다음 대화를 듣고, 남자 아이의 엄마를 고르시오. ………… ( )

①   ② 
③    ④

B: Mom, what are you making?

W: I am _____ pasta for dinner.

B: Wow, it smells so good.

W: Dinner is almost ready. Please _____

_____ _____.

make 만들다 | pasta 파스타 | dinner 저녁(식사) | smell 냄새가 나다 | almost 거의 |
ready 준비된 | set the table 식탁을 차리다
TIPS pasta, dinner, set the table 등의 표현과 관련된 그림을 찾아보세요.

16

다음을 듣고, 무엇에 관한 내용인지 고르시오. ………… ( )

① 영화 소개   ② 책 소개
③ 음식 소개   ④ 날씨 예보

W: Good morning. It's Tuesday. This is today's

_____ _____.

It's windy and _____ at the moment, so take an umbrella when you go out.

morning 아침 | Tuesday 화요일 | weather 날씨 | report 예보 | windy 바람 부는 |
rainy 비 오는 | at the moment 지금 | umbrella 우산 | go out 외출하다
TIPS weather report 는 '일기예보'라는 의미입니다.

17

다음 그림을 보고, 그림에 대한 설명으로 옳지 않은 것을 고르시오. ………… ( )

①   ②   ③   ④

M: ❶ A woman is reading a book.

❷ There is a cat _____ _____ the woman.

❸ There is a vase on the table.

❹ There are _____ _____ on the sofa.

woman 여자 | read 읽다 | next to ~옆에 | vase 꽃병 | table 탁자 | sofa 소파
TIPS 책은 탁자 위에 있습니다.

18

다음 대화를 듣고, 남자 아이가 어제 한 일이 아닌 것을 고르시오. ·········· (   )

① 숙제하기   ② 청소하기
③ 영화 보기   ④ 동생 돌보기

G: Kevin, did you go to the beach yesterday?

B: No, I didn't. I was very busy yesterday.

G: Why were you busy?

B: I _____ _____ _____
my younger brother, _____ my room,
and did my _____.

beach 해변 | yesterday 어제 | busy 바쁜 | take care of ~을 돌보다 |
younger brother 남동생 | clean 청소하다 | homework 숙제

TIPS take care of는 '~을 돌보다', clean은 '청소하다'라는 의미이고,
do homework은 '숙제하다'라는 의미입니다.

19

다음을 듣고, 이어질 말로 알맞은 것을 고르시오. ·········· (   )

M _____

①   ②   ③   ④

W: John, you look tired. Is something _____?

M: ❶ See you tomorrow.

❷ I _____ _____ last night.

❸ I'm happy to hear that.

❹ It's _____ today.

tired 피곤한 | something 무언가 | wrong 잘못된 | tomorrow 내일 | sleep 자다 |
last night 지난밤 | happy 행복한 | sunny 맑은

TIPS Is something wrong?은 '너 무슨 일 있니?'라는 의미로 I didn't sleep last
night.이 가장 적절한 대답입니다. See you tomorrow.는 헤어질 때 하는
인사입니다.

20

다음 대화를 듣고, 이어질 말로 알맞은 것을 고르시오. ·········· (   )

B _____

①   ②   ③   ④

B: What are you going to do _____
_____?

G: I'm going to go shopping.
_____ _____ you?

B: ❶ I don't go shopping.

❷ I go shopping once a month.

❸ Let's meet at 11 o'clock.

❹ I'm going to _____ my _____.

weekend 주말 | go shopping 쇼핑하다 | once 한 번 | month 달, 월 | meet 만나다 |
visit 방문하다

TIPS 이번 주말에 할 일을 표현하는 내용을 찾는 문제로 [be going to + 동사원형]을
이용하면 가까운 미래에 할 일을 표현할 수 있습니다

● 다음 들려주는 단어의 의미를 쓰세요.

단어	의미
01 scissors	가위
02 lawyer	
03 congratulations	
04 welcome	
05 toothache	
06 dentist	
07 pianist	
08 absent	
09 hospital	
10 happen	
11 cross	
12 street	
13 season	
14 library	
15 return	

3 회 Sentence Check

● 앞에 모의고사에 나오는 문장들을 잘 듣고, 빈칸을 완성하세요.

01 How are _____you_____ _____feeling_____ today?

02 My mom is _____ _____ _____.

03 He _____ _____ _____ yesterday.

04 School _____ _____ 3.

05 _____ _____ the street.

06 I _____ _____ in the sea.

07 We can see _____ _____ _____ beautiful flowers.

08 I have to _____ _____ _____ by today.

09 I'm going to _____ _____ next year.

10 _____ _____ a tiger near the lions.

11 Please _____ _____ _____.

12 It's _____ _____ _____ at the moment.

13 I took care of my _____ _____.

14 I'm _____ _____ hear that.

15 I go shopping _____ _____ _____.

1

다음을 듣고, 그림과 일치하는 낱말을 고르시오. ·································· (   )

①   ②   ③   ④

2

다음을 듣고, 지각했을 때 사용하는 표현으로 알맞은 것을 고르시오. ·············· (   )

①   ②   ③   ④

3

다음 그림을 보고, 알맞은 설명을 고르시오. ································· (   )

①   ②   ③   ④

4

다음 대화를 듣고, 두 사람이 무엇에 관해 말하고 있는지 고르시오. ·············· (   )

① 좋아하는 과일   ② 좋아하는 과목
③ 좋아하는 운동   ④ 좋아하는 색

5

다음 대화를 듣고, 여자 아이의 어제 상황을 고르시오. ································· (   )

①   ②

③   ④

6

다음 대화를 듣고, 두 사람이 만나기로 한 시각을 고르시오. ················· (   )

① 12시   ② 12시 30분
③ 1시   ④ 1시 30분

9

다음 대화를 듣고, 남자 아이의 국적을 고르시오. ················· (   )

① 미국   ② 영국
③ 호주   ④ 독일

7

다음 대화를 듣고, 남자 아이가 가고 있는 곳을 고르시오. ················· (   )

① 백화점   ② 서점
③ 편의점   ④ 시장

8

다음 그림을 보고, 그림과 일치하는 대화를 고르시오. ················· (   )

①   ②   ③   ④

10

다음 대화를 듣고, 여자가 사려는 물건과 그 개수를 고르시오. ················· (   )

사려고 하는 물건	개수
① 사과	4
② 사과	6
③ 배	3
④ 배	6

11

다음 대화를 듣고, 여자가 잃어버린 물건을 고르시오. ································ (   )

①

②

③

④

12

다음 대화를 듣고, 대화가 일어나는 장소를 고르시오. ····························· (   )

① 옷 가게   ② 편의점

③ 신발 가게   ④ 식당

13

다음 대화를 듣고, 대화가 자연스럽지 않은 것을 고르시오. ····························· (   )

①   ②   ③   ④

14

다음 그림을 보고, 그림을 가장 잘 묘사한 것을 고르시오. ····························· (   )

①   ②   ③   ④

15

다음 대화를 듣고, 남자 아이가 학교에 가는 방법을 고르시오. ························ (   )

①

②

③

④

16

다음 대화를 듣고, 여자가 아픈 곳을 고르시오. ···························· (   )

① 배   ② 치아
③ 머리   ④ 팔

17

다음 대화를 듣고, 남자 아이의 장래 희망을 고르시오. ···························· (   )

① 작가   ② 요리사
③ 의사   ④ 선생님

18

다음을 듣고, 이어질 말로 알맞은 것을 고르시오. ···························· (   )

M _____

①   ②   ③   ④

19

다음을 듣고, 이어질 말로 알맞은 것을 고르시오. ···························· (   )

W _____

①   ②   ③   ④

20

다음 대화를 듣고, 이어질 말로 알맞은 것을 고르시오. ···························· (   )

M _____

① Yes, I like reading.
② Why not? That's a good idea.
③ Sure, I can help you.
④ That's not my idea.

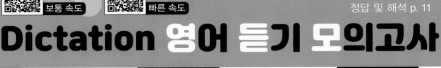
4 회 Dictation 영어 듣기 모의고사

| 학습일 | 월 일 | 부모님 확인 | 점수 |

● 잘 듣고, 빈칸에 알맞은 말을 쓰세요.

1

다음을 듣고, 그림과 일치하는 낱말을 고르시오. ·············· (   )

① ② ③ ④

M: ❶ window

❷ _____

❸ street

❹ _____

window 창문 | river 강 | street 길, 거리 | mountain 산

2

다음을 듣고, 지각했을 때 사용하는 표현으로 알맞은 것을 고르시오. ·············· (   )

① ② ③ ④

W: ❶ You are not late.

❷ I'm sorry for _____ _____.

❸ That's a good idea.

❹ _____ _____ have some food?

late 늦은 | sorry 미안한 | idea 생각 | food 음식

TIPS 지각했을 때 사과하는 표현으로 I'm sorry for being late.가 가장 적절합니다. That's a good idea.는 상대방의 의견에 동의할 때 사용합니다.

3

다음 그림을 보고, 알맞은 설명을 고르시오. ·············· (   )

① ② ③ ④

W: ❶ Don't smoke here.

❷ Don't _____ _____ the pool.

❸ Don't park here.

❹ Don't make a _____.

smoke 흡연하다 | here 여기 | pool 수영장 | park 주차하다 | mistake 실수

TIPS pool은 '수영장', jump into는 '~으로 뛰어들다'라는 의미를 알고 있으면 쉽게 정답을 알 수 있습니다.

4

다음 대화를 듣고, 두 사람이 무엇에 관해 말하고 있는지 고르시오. ·············· (   )

① 좋아하는 과일　　② 좋아하는 과목
③ 좋아하는 운동　　④ 좋아하는 색

M: What's your _____ _____?

W: I like red. How about you?

M: I like _____. The color makes me happy.

favorite 좋아하는 | color 색 | red 빨간색 | blue 파란색 | happy 행복한

TIPS favorite color는 '좋아하는 색'이라는 의미입니다.
red, blue는 색을 나타내는 단어들입니다.

5

다음 대화를 듣고, 여자 아이의 어제 상황을 고르시오. ·············· (   )

①　　②
③　　④

B: Jina, did you go to the _____ last night?

G: No, I didn't.

B: Why didn't you go to the concert?

G: I was _____ _____
_____.

B: That's too bad.

concert 콘서트 | last night 지난밤 | sick 아픈 | bad 안 좋은

TIPS 지나는 어제 아파서 콘서트에 가지 못했습니다.

6

다음 대화를 듣고, 두 사람이 만나기로 한 시각을 고르시오. ·············· (   )

① 12시　　② 12시 30분
③ 1시　　④ 1시 30분

M: Let's go to the K-pop concert tomorrow.

W: Sounds good. _____ _____
shall we meet?

M: The concert starts at 2 o'clock. How about
_____ _____ 1:30?

W: That's fine with me. See you then.

concert 콘서트 | tomorrow 내일 | time 시간 | meet 만나다 | start 시작하다 | then 그때

TIPS 콘서트가 2시에 시작하므로 2시보다 이른 시각에 만나야 합니다.

7

다음 대화를 듣고, 남자 아이가 가고 있는 곳을 고르시오. ·············· (   )

① 백화점　　② 서점
③ 편의점　　④ 시장

G: Where are you going?

B: I'm going to the _____ _____.

G: What for?

B: I need some _____ and _____.

convenience store 편의점 | what for 왜 | need 필요하다 | water 물 | milk 우유

TIPS 남자 아이가 convenience store에 우유와 물을 사러 간다고 했습니다.
convenience store의 의미를 이해하면 쉽게 문제를 해결할 수 있습니다.

8

다음 그림을 보고, 그림과 일치하는 대화를 고르시오. ·········· (   )

①   ②   ③   ④

❶ M: How do you go to school?

     W: I go by bus.

❷ M: May I take _____ _____?

     W: Yes, I'd like pasta.

❸ M: What's your _____ _____?

     W: I like pizza.

❹ M: How was your weekend?

     W: It was great.

school 학교 | bus 버스 | order 주문 | favorite 좋아하는 | food 음식 | weekend 주말

TIPS 웨이터가 손님에게 주문을 받는 그림이므로 이와 관련된 표현을 이해하는 것이 중요합니다. May I take your order?는 '주문하시겠습니까?'라는 의미입니다.

9

다음 대화를 듣고, 남자 아이의 국적을 고르시오. ·········· (   )

① 미국   ② 영국
③ 호주   ④ 독일

G: Where are you from?

B: I'm _____ _____.

G: When did you come to Korea?

B: I came here _____ _____.

from ~로 부터 | England 영국 | Korea 한국 | last year 작년

TIPS England는 '영국'이라는 의미입니다.

10

다음 대화를 듣고, 여자가 사려는 물건과 그 개수를 고르시오. ·········· (   )

	사려고 하는 물건	개수
①	사과	4
②	사과	6
③	배	3
④	배	6

M: May I help you?

W: I'm _____ _____ apples.

M: Here are some apples.

     _____ _____ apples do you want?

W: I want six. How much are they?

M: One dollar each.

help 돕다 | look for ~을 찾다 | how many 얼마나 많은 | dollar 달러 | each 각각

TIPS How many ~?는 셀 수 있는 명사의 수를 물을 때 쓰는 표현입니다.

11

다음 대화를 듣고, 여자가 잃어버린 물건을 고르시오. ·············· (   )

① ② ③ ④

M: Can I help you?

W: Yes, I lost my _____ _____.

M: What color is it?

W: It's _____, and it has _____ on it.

help 돕다 | lost 잃어버리다(lose)의 과거형 | shopping bag 쇼핑백 | color 색 | yellow 노란 | flower 꽃

TIPS 잃어버린 쇼핑백의 색상과 쇼핑백에 있는 그림의 모양을 찾는 문제로 yellow와 flowers가 문제 해결의 열쇠입니다.

12

다음 대화를 듣고, 대화가 일어나는 장소를 고르시오. ·············· (   )

① 옷 가게　　② 편의점
③ 신발 가게　　④ 식당

M: May I help you?

W: Yes, I'm looking for some _____.

M: How about these?

W: I like them, but they are too small for me.

I need a _____ _____.

shoes 신발 | how about ~은 어때 | small 작은 | larger 더 큰 | size 사이즈, 크기

TIPS I'm looking for some shoes.(신발을 좀 찾고 있다.)를 들었다면 쉽게 문제를 해결할 수 있습니다.

13

다음 대화를 듣고, 대화가 자연스럽지 <u>않은</u> 것을 고르시오. ·············· (   )

①　　②　　③　　④

❶ B: I have _____ _____.

G: That's too bad.

❷ B: How many pencils do you have?

G: I have five.

❸ B: When did you _____ _____ today?

G: I had breakfast at 8.

❹ B: How are you feeling today?

G: I'm good.

flu 독감 | pencil 연필 | get up 일어나다 | today 오늘 | breakfast 아침(식사) | feel 느끼다

TIPS When did you get up today?은 '오늘 언제 일어났니?'라는 의미로 I got up at 8.(8시에 일어났어.)과 같은 대답이 와야 합니다.

14

다음 그림을 보고, 그림을 가장 잘 묘사한 것을 고르시오. ·············· (   )

① ② ③ ④

M: ❶ They are running along the street.

❷ They are _____ _____ in the country.

❸ They are reading books in the room.

❹ They are taking a walk in the _____.

run 달리다 | street 거리 | country 시골 | read 읽다 | take a walk 산책하다 | park 공원

TIPS ride bikes는 '자전거를 타다'라는 의미입니다.

15

다음 대화를 듣고, 남자 아이가 학교에 가는 방법을 고르시오. ·············· (   )

①  ②  ③  ④

G: How do you get to school, Sam?

B: I go to school _____ _____. How about you, Mary?

G: My school is near my house, so I _____ _____ school.

get to ~에 도착하다 | school 학교 | near 가까운 | walk 걷다

TIPS walk to school은 '학교에 걸어가다'라는 의미입니다.

16

다음 대화를 듣고, 여자가 아픈 곳을 고르시오. ·············· (   )

① 배　　　　② 치아
③ 머리　　　④ 팔

M: You don't look good. What's the matter?

W: I have a _____.

M: That's too bad. Did you take some medicine?

W: No, I didn't. I didn't have _____ _____ for headaches.

good 좋은 | matter 문제 | headache 두통 | medicine 약

TIPS 통증과 관련된 병으로는 headache(두통), toothache(치통), stomachache(복통) 등이 있습니다.

17

다음 대화를 듣고, 남자 아이의 장래 희망을 고르시오. ·············· (   )

① 작가　　　② 요리사
③ 의사　　　④ 선생님

B: What do you want to be when you grow up?

G: I want to be a doctor. _____ _____ you?

B: I like teaching kids. I want to be a _____.

G: I think you'll be a good teacher.

grow up 자라다 | doctor 의사 | teach 가르치다 | kid 아이 | think 생각하다

TIPS 여자 아이는 의사가 되고 싶어 하고, 남자 아이는 선생님이 되고 싶어 합니다.

18

다음을 듣고, 이어질 말로 알맞은 것을 고르시오. ·············· ( )

M _____

① ② ③ ④

W: Would you like some more chicken?

M: ❶ No, thanks. I'm _____.

❷ Yes, I like cooking.

❸ No, I didn't _____ _____.

❹ Yes, I like summer.

more 더 | chicken 치킨 | full 배부른 | cook 요리하다 | order 주문하다 | summer 여름

TIPS Would you like some more chicken?는 '치킨 더 먹을래?'라는 의미로 이에 가장 알맞은 대답은 No, thanks. I'm full.(아니, 배가 불러.)이 가장 어울립니다.

19

다음을 듣고, 이어질 말로 알맞은 것을 고르시오. ·············· ( )

W _____

① ② ③ ④

M: What do you do in your _____ _____?

W: ❶ I play _____ _____.

❷ I don't have a computer.

❸ Sure, no problem.

❹ It's my _____.

free time 여가 시간 | computer 컴퓨터 | problem 문제 | pleasure 즐거움

TIPS What do you do in your free time?은 '여가 시간에 뭐해?'라는 의미로 이에 가장 알맞은 대답은 I play computer games.(컴퓨터 게임을 해.)가 가장 어울립니다. Sure, no problem.은 '물론, 문제없어.'라는 의미로 상대방이 뭔가를 부탁할 때 대답할 수 있는 표현입니다.

20

다음 대화를 듣고, 이어질 말로 알맞은 것을 고르시오. ·············· ( )

M _____

① Yes, I like reading.
② Why not? That's a good idea.
③ Sure, I can help you.
④ That's not my idea.

W: Tomorrow is Saturday. Do you have any _____ _____?

M: No, I don't.

W: _____ _____ going to the aquarium?

M: _____

tomorrow 내일 | Saturday 토요일 | special 특별한 | plan 계획 | aquarium 수족관

TIPS That's a good idea.은 '좋은 생각이야.'라는 의미로 상대방의 의견에 대한 대답으로 가장 적절하다.

● 다음 들려주는 단어의 의미를 쓰세요.

	단어	의미
01	mountain	산
02	mistake	
03	park	
04	concert	
05	sick	
06	order	
07	weekend	
08	shoes	
09	size	
10	today	
11	country	
12	matter	
13	medicine	
14	think	
15	flu	

4^회 Sentence Check

● 앞에 모의고사에 나오는 문장들을 잘 듣고, 빈칸을 완성하세요.

01 I'm sorry for _____being__ ____late____.

02 Don't _____ _____ the pool.

03 The color _____ me _____.

04 I was _____ _____ _____.

05 See you _____.

06 I'm _____ _____ the convenience store.

07 May I _____ your _____?

08 I'm _____ _____.

09 I lost my _____ _____.

10 They are _____ _____ for me.

11 That's _____ _____.

12 They are _____ _____ in the country.

13 I go to school _____ _____.

14 I have a _____.

15 It's _____ _____.

영어 듣기 모의고사

 보통 속도 빠른 속도

학습일	월 일	부모님 확인	점수

1

다음을 듣고, 그림과 일치하는 낱말을 고르시오. ····························· (   )

Mon	Tue	Wed	Thur	Fri	Sat	Sun
	1	2	3	4	5	6
7	8	9	10	11	12	13
14	15	16	17	18	19	20
21	22	23	24	25	26	27
28	29	30	31			

①   ②   ③   ④

2

다음을 듣고, 헤어질 때 사용하는 표현으로 알맞은 것을 고르시오. ················ (   )

①   ②   ③   ④

3

다음 대화를 듣고, 오늘 날씨로 알맞은 그림을 고르시오. ····························· (   )

①    ②

③    ④

4

다음 대화를 듣고, Julie가 남자 아이의 제안을 거절한 이유를 고르시오. ········· (   )

① 숙제를 해야 해서
② 동생을 돌봐야 해서
③ 테니스를 하지 못해서
④ 병문안을 가야 해서

5

다음 그림을 보고, 여자가 할 말로 알맞은 것을 고르시오. ······················· (   )

①   ②   ③   ④

6

다음 대화를 듣고, 축구 클럽의 회원 수를 고르시오. ···························· (   )

① 22명   ② 23명
③ 24명   ④ 25명

7

다음을 듣고, 남자 아이에 대해 알 수 <u>없는</u> 것을 고르시오. ······················· (   )

① 이름   ② 나이
③ 좋아하는 운동   ④ 좋아하는 음식

8

다음 그림을 보고, 그림과 일치하는 대화를 고르시오. ···························· (   )

①   ②   ③   ④

9

다음 그림을 보고, 그림과 일치하는 대화를 고르시오. ···························· (   )

①   ②   ③   ④

10

다음 대화를 듣고, 남자 아이가 어젯밤에 한 일을 고르시오. ·················· (   )

① 게임하기   ② 숙제하기
③ 영화 보기   ④ 책 읽기

11

다음 대화를 듣고, 오늘이 무슨 요일인지 고르시오. ································ (   )

① 화요일   ② 수요일
③ 목요일   ④ 금요일

12

다음 대화를 듣고, 남자 아이가 사려고 하는 물건과 가격을 고르시오. ··············· (   )

① 장난감 기차 – 10달러
② 장난감 기차 – 15달러
③ 장난감 로봇 – 10달러
④ 장난감 로봇 – 15달러

13

다음 대화를 듣고, 대화가 자연스럽지 <u>않은</u> 것을 고르시오. ··················· (   )

①   ②   ③   ④

14

다음 대화를 듣고, 여자의 남동생을 고르시오.
·· (   )

①    ②

③    ④

15

다음 대화를 듣고, 대화가 일어나는 장소를 고르시오. ·············· ( )

① 제과점 　　　　② 음식점
③ 문방구 　　　　④ 편의점

16

다음을 듣고, 여자 아이가 말한 내용과 일치하지 <u>않는</u> 것을 고르시오. ·········· ( )

① 11살이다
② 서울에 산다.
③ 노래하는 것을 좋아한다.
④ 장래 희망은 의사가 되는 것이다.

17

다음 대화를 듣고, 현재의 시각을 고르시오.
··············· ( )

① 8시 　　　　② 8시 10분
③ 8시 20분 　　④ 8시 30분

18

다음을 듣고, 이어질 말로 알맞은 것을 고르시오. ·············· ( )

M _____

①　　　②　　　③　　　④

19

다음 대화를 듣고, 이어질 말로 알맞은 것을 고르시오. ·············· ( )

B _____

①　　　②　　　③　　　④

20

다음 대화를 듣고, 이어질 말로 알맞은 것을 고르시오. ·············· ( )

G _____

① Thank you very much.
② I like Korean food.
③ I'm in the fifth grade.
④ Yes, I had a good time.

5회 Dictation 영어 듣기 모의고사

| 학습일 | 월 일 | 부모님 확인 | 점수 |

● 잘 듣고, 빈칸에 알맞은 말을 쓰세요.

1

다음을 듣고, 그림과 일치하는 낱말을 고르시오. ·············· (   )

①   ②   ③   ④

M: ❶ magazine

   ❷ _____

   ❸ clock

   ❹ _____

magazine 잡지 | calendar 달력 | clock 시계 | backpack 가방

2

다음을 듣고, 헤어질 때 사용하는 표현으로 알맞은 것을 고르시오. ··············· (   )

①   ②   ③   ④

W: ❶ See you _____.

   ❷ I'm fine.

   ❸ That sounds _____.

   ❹ You look great.

later 나중에 | sound 들리다 | great 멋진

TIPS See you soon. / See you later. / Take care. 등이 헤어질 때 하는 영어 표현입니다.

3

다음 대화를 듣고, 오늘 날씨로 알맞은 그림을 고르시오. ··············· (   )

①   ②

③   ④

B: How is the weather today?

G: It's _____.

B: Let's make a _____.

G: Okay!

weather 날씨 | today 오늘 | snow 눈이 오다 | snowman 눈사람

TIPS snowing, snowman과 관련된 날씨를 찾아보세요.

4

다음 대화를 듣고, Julie가 남자 아이의 제안을 거절한 이유를 고르시오. ········ (　　)

① 숙제를 해야 해서
② 동생을 돌봐야 해서
③ 테니스를 하지 못해서
④ 병문안을 가야 해서

B: Hi, Julie. How about playing tennis after school?

G: I'm sorry, but I can't. I have to go to the

_____.

B: Why?

G: My grandmother is _____.

I have to _____ her.

play tennis 테니스를 치다 | after school 방과 후에 | sorry 미안한 | hospital 병원 | sick 아픈 | visit 방문하다

TIPS 여자 아이의 마지막 말 My grandmother is sick. I have to visit her.가 문제 해결의 열쇠입니다. visit her에서 her는 my grandmother입니다.

5

다음 그림을 보고, 여자가 할 말로 알맞은 것을 고르시오. ···················· (　　)

① ② ③ ④

W: ❶ _____ _____ is it?

❷ Is this your book?

❸ Can I go home now?

❹ Can I _____ _____?

much 많은 | book 책 | home 집 | now 지금 | help 돕다

TIPS 상대방에게 도움을 주고자 할 때에는 Can I help you?를, 도움을 요청할 때에는 Can you help me?를 사용합니다.

6

다음 대화를 듣고, 축구 클럽의 회원 수를 고르시오. ···················· (　　)

① 22명　　　　② 23명
③ 24명　　　　④ 25명

M: Who are the kids running in the schoolyard?

G: They are soccer players.

M: _____ _____ members are

there in the soccer club?

G: There are _____ _____.

kid 아이 | schoolyard 운동장 | soccer player 축구선수 | member 회원

TIPS 숫자 표현은 다음과 같습니다.
22 twenty-two / 23 twenty-three / 24 twenty-four / 25 twenty-five

7

다음을 듣고, 남자 아이에 대해 알 수 없는 것을 고르시오. ···················· (　　)

① 이름　　　　② 나이
③ 좋아하는 운동　　④ 좋아하는 음식

B: Hi, my _____ is Brian.

I'm 14 years old.

I'm _____ Canada.

I like reading.

My favorite _____ is baseball.

name 이름 | years old ~살 | from ~로 부터 | favorite 좋아하는 | sport 스포츠 | baseball 야구

TIPS 남자 아이의 나이는 14살, 출신은 캐나다, 취미는 독서, 좋아하는 운동은 야구임을 알 수 있습니다.

8

다음 그림을 보고, 그림과 일치하는 대화를 고르시오. ·················· (   )

① ② ③ ④

❶ M: How do you go to school?

G: I go to school _____ _____.

❷ M: May I help you?

G: Could you _____ this _____?

❸ M: Where are you from?

G: I'm from Korea.

❹ M: You look sad. What's wrong?

G: I lost my bag.

school 학교 | bike 자전거 | help 돕다 | fix 고치다 | sad 슬픈 | wrong 잘못된

TIPS 자전거가 고장 난 그림과 관련된 표현으로 fix this bike의 의미를 아는 것이 문제 해결의 열쇠입니다.

9

다음 그림을 보고, 그림과 일치하는 대화를 고르시오. ·················· (   )

① ② ③ ④

❶ W: Did you _____ _____?

M: Yes, I did. The food was very delicious.

❷ W: How was your vacation?

M: It was great.

❸ W: What did you do last night?

M: I went camping.

❹ W: What do you want for lunch?

M: I want some _____ and _____.

enjoy 즐기다 | dinner 저녁(식사) | food 음식 | delicious 맛있는 | vacation 방학 | go camping 캠핑 가다 | lunch 점심(식사) | bread 빵

TIPS 남자가 배가 부른 모습으로 ①번의 대화가 그림과 가장 어울립니다. Did you enjoy dinner?는 '저녁 맛있게 먹었니?'라는 의미입니다.

10

다음 대화를 듣고, 남자 아이가 어젯밤에 한 일을 고르시오. ·················· (   )

① 게임하기   ② 숙제하기
③ 영화 보기   ④ 책 읽기

G: Did you go to the movies last night?

B: No, I didn't.

G: Then, what did you do?

B: I did _____ _____ until midnight.

G: Oh, that's _____ _____.

movie 영화 | last night 지난밤 | math 수학 | until ~까지 | midnight 자정, 밤중

TIPS do my homework는 '숙제를 하다', until midnight는 '자정까지'라는 의미입니다.

11

다음 대화를 듣고, 오늘이 무슨 요일인지 고르시오. ·············· (   )

① 화요일   ② 수요일
③ 목요일   ④ 금요일

M: Amy, when is your picnic?

G: Tomorrow.

M: Oh, _____ _____ is it today?
    Is it Tuesday?

G: No, it's _____.

picnic 소풍 | tomorrow 내일 | day 날

TIPS Tuesday 화요일 / Wednesday 수요일

12

다음 대화를 듣고, 남자 아이가 사려고 하는 물건과 가격을 고르시오. ·············· (   )

① 장난감 기차 – 10달러
② 장난감 기차 – 15달러
③ 장난감 로봇 – 10달러
④ 장난감 로봇 – 15달러

W: May I help you?

B: Yes, I'm looking for a birthday present for my brother.

W: How about _____ _____?

B: It looks nice. _____ _____ is it?

W: It's 15 dollars.

birthday present 생일 선물 | robot 로봇 | nice 좋은 | dollar 달러

TIPS 남자 아이가 로봇이 마음에 든다며 가격을 묻고 있다.

13

다음 대화를 듣고, 대화가 자연스럽지 않은 것을 고르시오. ·············· (   )

①   ②   ③   ④

❶ M: _____ _____ is it now?
   W: I'm _____ today.

❷ M: What are you doing?
   W: I'm reading a book.

❸ M: When did you buy the computer?
   W: I bought it yesterday.

❹ M: What's wrong?
   W: I have a _____.

busy 바쁜 | buy 사다 | wrong 잘못된 | headache 두통

TIPS What time is it now?는 '지금 몇 시야?'라고 현재 시각을 묻는 질문으로 It's 2 o'clock.(2시야.)이라고 대답할 수 있습니다.

14

다음 대화를 듣고, 여자의 남동생을 고르시오.
.... ( )

① ② ③ ④

M: What does your brother look like?

W: He's _____ _____.

M: Is he wearing _____?

W: Yes, he is.

look like ~처럼 보이다 | wear 입다 | shorts 반바지 | glasses 안경

TIPS 여자의 남동생은 shorts(반바지)를 입고 glasses(안경)를 쓰고 있습니다.

15

다음 대화를 듣고, 대화가 일어나는 장소를 고르시오. .... ( )

① 제과점   ② 음식점
③ 문방구   ④ 편의점

W: Can I help you?

B: Yes, please. I need an _____ and two _____.

W: Here you are.

B: Oh, I'm sorry. Please give me one more pencil.

W: Okay. Do you need anything else?

B: No, _____ _____.

need 필요하다 | sorry 미안한 | give 주다 | more 더 | anything else 다른 것

TIPS eraser(지우개), pencil(연필)을 판매하는 곳은 문방구입니다.

16

다음을 듣고, 여자 아이가 말한 내용과 일치하지 않는 것을 고르시오. .... ( )

① 11살이다
② 서울에 산다.
③ 노래하는 것을 좋아한다.
④ 장래 희망은 의사가 되는 것이다.

G: Hello. My name is Cathy.

I'm 11 years old.

I _____ in Seoul.

I like _____.

I want to be a _____.

name 이름 | live 살다 | sing 노래하다 | musician 음악가

TIPS 여자 아이는 나이가 11살, 거주지는 서울이고, 장래 희망은 음악가이다.

17

다음 대화를 듣고, 현재의 시각을 고르시오.
.... ( )

① 8시   ② 8시 10분
③ 8시 20분   ④ 8시 30분

W: Mike, it's time to go to school.

B: _____ _____ is it now?

W: It's already _____. You have to hurry up.

B: Okay, Mom.

school 학교 | already 이미, 벌써 | have to ~해야 한다 | hurry up 서두르다

TIPS It's time to ~는 '~할 시간이다'라는 의미입니다.

18

다음을 듣고, 이어질 말로 알맞은 것을 고르시오. ·········· ( )

M _____

① ② ③ ④

W: David, _____ _____ your birthday?

M: ❶ Don't worry.

❷ Today is Friday.

❸ It looks great.

❹ It's _____ 10.

birthday 생일 | **worry** 걱정하는 | **Friday** 금요일 | **October** 10월

TIPS when으로 물으면 구체적인 시각이나, 날짜, 연도 등으로 대답해야 합니다.

19

다음 대화를 듣고, 이어질 말로 알맞은 것을 고르시오. ·········· ( )

B _____

① ② ③. ④

B: Cathy, you look very happy today. _____ _____?

G: I won _____ _____ in the English speaking contest.

B: ❶ I hope so.

❷ It's a pity.

❸ My pleasure.

❹ Congratulations!

happy 행복한 | **today** 오늘 | **first prize** 1등 | **contest** 대회 | **pity** 유감, 연민 | **pleasure** 즐거움 | **congratulations** 축하해

TIPS What's up?은 '무슨 일이야?', '요즘 어때?', '잘 지냈어?' 등의 의미입니다. 여자가 말하기 대회에서 1등을 했다고 했으므로 '축하한다'는 표현이 어울립니다.

20

다음 대화를 듣고, 이어질 말로 알맞은 것을 고르시오. ·········· ( )

G _____

① Thank you very much.

② I like Korean food.

③ I'm in the fifth grade.

④ Yes, I had a good time.

M: What's your _____?

G: I'm Mary Brown.

M: _____ _____ are you in?

G: _____

grade 학년

TIPS What grade are you in?은 '몇 학년이니?'라는 의미입니다. 학년을 말할 때에는 서수를 이용합니다.

● 다음 들려주는 단어의 의미를 쓰세요.

	단어	의미
01	magazine	잡지
02	calendar	
03	snowman	
04	schoolyard	
05	member	
06	wrong	
07	enjoy	
08	delicious	
09	vacation	
10	midnight	
11	picnic	
12	musician	
13	already	
14	contest	
15	pity	

● 앞에 모의고사에 나오는 문장들을 잘 듣고, 빈칸을 완성하세요.

01 See you _____ later _____.

02 Let's make a _____.

03 The color _____ me _____.

04 I have to go to _____ _____.

05 My favorite sport is _____.

06 The food was _____ _____.

07 I did math homework _____ _____.

08 _____ _____?

09 I'm looking for a _____ _____ for my brother.

10 Can I _____ _____?

11 Here _____ _____.

12 _____ _____ _____ go to school.

13 I want to be a _____.

14 Don't _____.

15 I won _____ _____ in the English speaking contest.

영어 듣기 모의고사

 보통 속도
 빠른 속도

| 학습일 | 월   일 | 부모님 확인 | 점수 |

1

다음을 듣고, 들려주는 단어와 일치하는 그림을 고르시오. ·················· (   )

①

②

③

④

2

다음을 듣고, 운동을 나타내는 낱말이 <u>아닌</u> 것을 고르시오. ······················ (   )

①   ②   ③   ④

3

다음 대화를 듣고, 남자 아이의 기분으로 알맞은 것을 고르시오. ·················· (   )

①

②

③

④

4

다음 대화를 듣고, 남자가 좋아하는 음식을 고르시오. ······························· (   )

① 갈비   ② 비빔밥

③ 파스타   ④ 쌀국수

5

다음 그림을 보고, 그림과 일치하는 것을 고르시오. ·· (   )

①   ②   ③   ④

6

다음 대화를 듣고, 여자 아이의 장래 희망을 고르시오. ···································· (   )

① 의사   ② 화가
③ 간호사   ④ 변호사

7

다음 대화를 듣고, 여자 아이의 모습을 고르시오. ·· (   )

8

다음을 듣고, 대답으로 어울리지 <u>않는</u> 것을 고르시오. ·· (   )

①   ②   ③   ④

9

다음 대화를 듣고, 여자가 어제 해변에서 한 일을 고르시오. ······························· (   )

① 수영   ② 배구
③ 산책   ④ 달리기

10

다음 그림을 보고, 그림과 일치하는 대화를 고르시오. ···························· (   )

①   ②   ③   ④

11

다음 대화를 듣고, 두 사람이 만날 시각을 고르시오. ························ (   )

① 5시   ② 5시 30분
③ 6시   ④ 6시 30분

12

다음을 듣고, 도움을 요청하는 말을 고르시오. ····························· (   )

①   ②   ③   ④

13

다음 대화를 듣고, 대화가 자연스럽지 <u>않은</u> 것을 고르시오. ························· (   )

①   ②   ③   ④

14

다음 대화를 듣고, 남자가 잠을 못 잔 이유를 고르시오. ···························· (   )

① 치통 때문에   ② 게임을 해서
③ 머리가 아파서   ④ 숙제를 해서

15

다음 대화를 듣고, 남자의 셔츠를 고르시오.
·· (   )

①    ②

③    ④

16

다음을 듣고, 내용과 일치하지 <u>않는</u> 것을 고르시오. ………………………… (　　　)

① 신디는 스페인에서 왔다.

② 신디는 11살이다.

③ 신디는 피자를 좋아한다.

④ 신디의 장래 희망은 가수가 되는 것이다.

17

다음 그림을 보고, 그림에 대한 설명으로 알맞은 것을 고르시오. ………………… (　　　)

① 　　　② 　　　③ 　　　④

18

다음을 듣고, 이어질 말로 알맞은 것을 고르시오. ………………………… (　　　)

M _____

① 　　　② 　　　③ 　　　④

19

다음 대화를 듣고, 이어질 말로 알맞은 것을 고르시오. ………………………… (　　　)

W2 _____

① 　　　② 　　　③ 　　　④

20

다음 대화를 듣고, 이어질 말로 알맞은 것을 고르시오. ………………………… (　　　)

G _____

① No, I didn't have lunch.

② She isn't my classmate.

③ I go to the library by bus.

④ I'd like to, but I have to go home now.

| 학습일 | 월 일 | 부모님 확인 | 점수 |

● 잘 듣고, 빈칸에 알맞은 말을 쓰세요.

1

다음을 듣고, 들려주는 단어와 일치하는 그림을 고르시오. ·········· ( )

① ② ③ ④

M: _____

_____

baseball cap 야구모자

2

다음을 듣고, 운동을 나타내는 낱말이 <u>아닌</u> 것을 고르시오. ·········· ( )

① ② ③ ④

W: ❶ _____

❷ tennis

❸ volleyball

❹ _____

baseball 야구 | tennis 테니스 | volleyball 배구 | spoon 숟가락

3

다음 대화를 듣고, 남자 아이의 기분으로 알맞은 것을 고르시오. ·········· ( )

① ② ③ ④

G: What are you going to do _____ _____?

B: I'm going to Jeju Island with my family.

G: I envy you. You _____ very _____.

B: Yes, I can't wait!

weekend 주말 | island 섬 | family 가족 | envy 부러워하다 | excited 신이 난 | wait 기다리다

TIPS You look very excited.(너 매우 신나 보인다.)와 Yes, I can't wait!(그래, 못 기다리겠어!)를 통해서 아이의 기분을 알 수 있습니다.

4

다음 대화를 듣고, 남자가 좋아하는 음식을 고르시오. ·········· ( )

① 갈비 ② 비빔밥
③ 파스타 ④ 쌀국수

M: Hi, Julie. Do you like pizza?

W: Yes, I love it. What's your favorite food?

M: I like _____.

pizza 피자 | love 아주 좋아하다 | favorite 좋아하는 | pasta 파스타

5

다음 그림을 보고, 그림과 일치하는 것을 고르시오. ················· (   )

① ② ③ ④

M: ❶ The girl is singing on the bed.

❷ The girl is _____ on the bed.

❸ The girl is sitting on the bed.

❹ The girl is _____ on the bed.

sing 노래하다 | bed 침대 | sleep 자다 | sit 앉다 | jump 뛰다

TIPS 여자 아이가 침대 위에서 뛰고 있는 모습으로 jump가 있는 표현이 정답입니다.

6

다음 대화를 듣고, 여자 아이의 장래 희망을 고르시오. ················· (   )

① 의사 ② 화가
③ 간호사 ④ 변호사

G: What do you want to be in the _____?

B: I want to be a _____.
How about you, Kelly?

G: I want to be a _____ like my mother.

future 장래 | doctor 의사 | nurse 간호사 | like ~처럼

TIPS I want to be a nurse, like my mother.(나는 나의 엄마처럼 간호사가 되고 싶다.)에서 like는 전치사로 사용되어 '~처럼'이란 의미입니다.

7

다음 대화를 듣고, 여자 아이의 모습을 고르시오. ················· (   )

① ② 
③  ④

G: Look! I have a _____ _____.

B: What a nice watch! Where did you get it?

G: My dad bought it _____ _____ yesterday.

watch 손목시계 | nice 멋진 | get 얻다 | bought 사다(buy)의 과거형 | yesterday 어제

TIPS watch는 명사로 '손목시계'라는 의미입니다. Where did you get it?은 '그거 어디서 구했니?'라는 의미입니다.

8

다음을 듣고, 대답으로 어울리지 않는 것을 고르시오. ················· (   )

① ② ③ ④

M: How's the _____ today?

W: ❶ It's sunny.

❷ It's raining.

❸ It's _____.

❹ It's cloudy.

weather 날씨 | today 오늘 | sunny 맑은 | rain 비가 오다 | Monday 월요일 | cloudy 흐린

TIPS It's Monday.(월요일이야.)는 What day is it today?(오늘 무슨 요일이니?)에 어울리는 답변입니다.

9

다음 대화를 듣고, 여자가 어제 해변에서 한 일을 고르시오. ·············· (　　)

① 수영　　　　② 배구
③ 산책　　　　④ 달리기

M: What did you do yesterday?

W: I went to the _____.

M: Did you swim there?

W: No, I _____ along the beach with my dog.

yesterday 어제 | beach 해변 | swim 수영 | walk 걷다 | along ~을 따라

TIPS walk along the beach는 '해변을 따라 걷다'라는 의미입니다.

10

다음 그림을 보고, 그림과 일치하는 대화를 고르시오. ·············· (　　)

①　　②　　③　　④

❶ W: Did you wash the dishes?

M: Yes, I did.

❷ W: It's _____ today. Could you please _____ _____ the air conditioner?

M: Sure.

❸ W: Can you clean the living room?

M: _____ _____.

❹ W: What's your favorite food?

M: I like fried chicken.

wash the dishes 설거지하다 | hot 더운 | air conditioner 에어컨 | clean 청소하다 | fried chicken 프라이드치킨

TIPS 날씨가 더워서 에어컨을 켜달라는 대화가 그림과 가장 어울립니다.
turn on the air conditioner 에어컨을 켜다

11

다음 대화를 듣고, 두 사람이 만날 시각을 고르시오. ·············· (　　)

① 5시　　　　② 5시 30분
③ 6시　　　　④ 6시 30분

M: Sara, let's go for a walk today.

W: _____ _____.

M: Can we meet _____ _____ in front of the park?

W: Sure. See you then.

go for a walk 산책하러 가다 | meet 만나다 | in front of ~ 앞에 | park 공원 | then 그때

12

다음을 듣고, 도움을 요청하는 말을 고르시오.
.... (   )

① ② ③ ④

M: ❶ Don't do that.

❷ _____ _____!

❸ Don't swim here.

❹ _____ me, please.

watch out 조심해 | swim 수영하다 | here 여기 | please 제발

TIPS Can you help me?나 Help me, please. 등이 도움을 요청하는 표현입니다. 좀 더 공손한 표현을 할 때 please를 붙입니다. 또한 Watch out!은 '조심해!'라는 의미로 상대방에게 경고를 하는 표현입니다.

13

다음 대화를 듣고, 대화가 자연스럽지 <u>않은</u> 것을 고르시오. .... (   )

① ② ③ ④

❶ B: Is this your bag?

G: No, it isn't. My bag is red.

❷ B: Let's _____ _____.

G: Sorry, I can't. I'm tired.

❸ B: What do you want?

G: I want some water.

❹ B: _____ is your birthday?

G: I'm twelve _____ _____.

bag 가방 | tennis 테니스 | tired 피곤한 | water 물 | birthday 생일

TIPS When is your birthday?(너 생일 언제니?)에는 It's December 18.(12월 18일이야.)이, How old are you?(너 몇 살이니?)에는 I'm twelve years old. (12살이야.)가 어울리는 답변입니다.

14

다음 대화를 듣고, 남자가 잠을 못 잔 이유를 고르시오. .... (   )

① 치통 때문에   ② 게임을 해서
③ 머리가 아파서   ④ 숙제를 해서

W: John, you _____ _____.
What's wrong?

M: I didn't sleep last night.

W: Did you play computer games?

M: No. I couldn't sleep because of _____
_____.

wrong 잘못된 | last night 지난밤 | because of ~ 때문에 | toothache 치통

TIPS because of a toothache(치통 때문에)의 의미를 알면 쉽게 문제를 해결할 수 있습니다.

15

다음 대화를 듣고, 남자의 셔츠를 고르시오.
··· ( )

① ②  ③  ④

W: Jim, is this your shirt?

M: No, it's Tony's shirt. My shirt is _____ and has a _____.

W: Do you _____ this one?

M: Yes, that's the one.

shirt 셔츠 | yellow 노란 | pocket 주머니 | mean 의미하다

TIPS yellow and has a pocket(노란색에 주머니가 있다)의 의미를 알면 쉽게 문제를 해결할 수 있습니다.

16

다음을 듣고, 내용과 일치하지 <u>않는</u> 것을 고르시오. ······················· ( )

① 신디는 스페인에서 왔다.
② 신디는 11살이다.
③ 신디는 피자를 좋아한다.
④ 신디의 장래 희망은 가수가 되는 것이다.

G: Hello. My name is Cindy.

I'm from Spain.

I'm _____ years old.

I like playing the _____.

My favorite food is pizza.

I want to be a _____ when I grow up.

name 이름 | Spain 스페인 | violin 바이올린 | singer 가수 | grow up 자라다

TIPS 여자 아이의 출신지는 스페인, 나이는 12살, 좋아하는 음식은 피자, 장래 희망은 가수입니다.

17

다음 그림을 보고, 그림에 대한 설명으로 알맞은 것을 고르시오. ····················· ( )

① ② ③ ④

W: ❶ There are five books and two pencils on the desk.

❷ There are _____ books and _____ pencils on the desk.

❸ There are two books and four pencils on the desk.

❹ There are four _____ and three _____ on the desk.

book 책 | pencil 연필 | desk 책상

18

다음을 듣고, 이어질 말로 알맞은 것을 고르시오. ·········· (   )

M _____

①   ②   ③   ④

W: Excuse me, can you _____
_____?

M: ❶ Don't worry about it.

    ❷ It's time for lunch.

    ❸ I don't go to school today.

    ❹ Sure. _____ _____ I help you?

help 돕다 | worry 걱정하다 | time 시간 | lunch 점심(식사)

TIPS Sure.는 '그럼요, 그래요.'라는 의미로 yes와 같은 의미입니다. 따라서 답변으로 Sure. How can I help you? (그럼요. 어떻게 도와드릴까요?)가 어울립니다.

19

다음 대화를 듣고, 이어질 말로 알맞은 것을 고르시오. ·········· (   )

W2 _____

①   ②   ③   ④

W1: Hi, Sam.

M: Hi, Jane. _____ _____ my sister, Alice.

W1: Nice to _____ you, Alice.

W2: ❶ Sure. No problem.

    ❷ Nice to meet you, _____.

    ❸ I'm fine, thank you.

    ❹ Sounds good.

sister 누나, 언니, 여동생 | meet 만나다 | problem 문제 | too 역시

TIPS Nice to meet you.는 처음 만나는 사람에게 하는 인사말입니다. 따라서 Nice to meet you, too.(저도 만나서 반갑습니다.)가 어울립니다. I'm fine, thank you.는 How are you? 등으로 물을 때 어울리는 대답입니다.

20

다음 대화를 듣고, 이어질 말로 알맞은 것을 고르시오. ·········· (   )

G _____

① No, I didn't have lunch.
② She isn't my classmate.
③ I go to the library by bus.
④ I'd like to, but I have to go home now.

G: Sam, _____ are you going?

B: I'm going to the library.

_____ _____ come with me?

G: _____

where 어디 | library 도서관 | with ~와 함께

TIPS Will you come with me?는 '나와 함께 갈래?'라는 의미로 I'd like to, but I have to go home now.(그러고 싶지만 지금 집에 가야 해.)가 가장 어울립니다.

● 다음 들려주는 단어의 의미를 쓰세요.

	단어	의미
01	volleyball	배구
02	spoon	
03	island	
04	envy	
05	excited	
06	love	
07	sing	
08	future	
09	along	
10	beach	
11	clean	
12	toothache	
13	pocket	
14	mean	
15	problem	

6 Sentence Check

● 앞에 모의고사에 나오는 문장들을 잘 듣고, 빈칸을 완성하세요.

01 You ___look___ very ___excited___.

02 What's your _____ _____?

03 She _____ _____ on the bed.

04 I want to be _____ _____.

05 What a _____ _____!

06 How's the _____ _____?

07 I walked _____ _____ _____ with my dog.

08 Could you please _____ _____ the air conditioner?

09 Let's _____ _____ _____ _____ today.

10 _____ _____!

11 I couldn't sleep _____ _____ a toothache.

12 I want to be a singer when I _____ _____.

13 _____ _____ for lunch.

14 Nice to _____ _____.

15 I'm going to _____ _____.

영어 듣기 모의고사

보통 속도

빠른 속도

| 학습일 | 월 일 | 부모님 확인 | 점수 |

1

다음을 듣고, 들려주는 단어와 일치하는 그림을 고르시오. ·········· (   )

① (안경)

② (리모컨)

③ (벙어리장갑)

④ 9 September 20

3

다음 그림을 보고, 그림과 일치하는 대화를 고르시오. ··············· (   )

① ② ③ ④

2

다음을 듣고, 기분이나 상태를 나타내는 말이 아닌 것을 고르시오. ·········· (   )

① ② ③ ④

4

다음 대화를 듣고, 남자 아이가 주말에 간 곳을 고르시오. ····················· (   )

① 동물원   ② 박물관

③ 놀이공원   ④ 도서관

5

다음 그림을 보고, 남자가 할 말로 알맞은 것을 고르시오. ………………………… (   )

①   ②   ③   ④

6

다음 대화를 듣고, 여자가 티셔츠를 구입한 곳을 고르시오. ………………… (   )

① 백화점   ② 온라인 쇼핑몰
③ 중고시장   ④ 시장

7

다음 대화를 듣고, 여자 아이가 하고 있는 모습을 고르시오. ……………… (   )

①   ②

③   ④

8

다음을 듣고, 대답으로 어울리지 <u>않는</u> 것을 고르시오. ………………… (   )

①   ②   ③   ④

9

다음 대화를 듣고, 오늘이 무슨 요일인지 고르시오. ………………… (   )

① 월요일   ② 화요일
③ 목요일   ④ 금요일

10

다음 대화를 듣고, 남자 아이가 좋아하는 운동을 고르시오. ┄┄┄┄┄┄┄┄ (   )

① 농구   ② 배구
③ 야구   ④ 축구

11

다음 그림을 보고, 그림을 가장 잘 묘사한 것을 고르시오. ┄┄┄┄┄┄┄┄┄┄ (   )

①   ②   ③   ④

12

다음 그림을 보고, 여자가 할 말로 알맞은 것을 고르시오. ┄┄┄┄┄┄┄┄ (   )

①   ②   ③   ④

13

다음을 듣고, 친구가 실수했을 때 하는 말로 알맞은 것을 고르시오. ┄┄┄┄┄┄┄ (   )

①   ②   ③   ④

14

다음 대화를 듣고, 대화가 자연스럽지 <u>않은</u> 것을 고르시오. ┄┄┄┄┄┄┄┄ (   )

①   ②   ③   ④

15

다음 대화를 듣고, 두 사람이 앞으로 할 일을 고르시오. ························· ( )

① TV 시청　　　② 테니스 경기
③ 수영　　　　　④ 컴퓨터 게임

16

다음 대화를 듣고, 대화가 일어나는 장소를 고르시오. ························· ( )

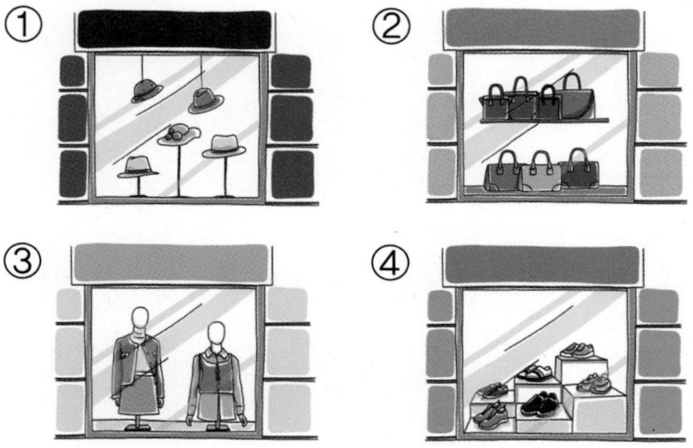

① ②
③ ④

17

다음 대화를 듣고, 여자 아이가 지난 주말에 한 일을 고르시오. ················· ( )

① 청소하기　　　② 숙제하기
③ 나무심기　　　④ 등산하기

18

다음 대화를 듣고, 남자가 지불할 가격을 고르시오. ························· ( )

① 7달러　　　　② 8달러
③ 9달러　　　　④ 10달러

19

다음을 듣고, 이어질 말로 알맞은 것을 고르시오. ························· ( )

G _____

① ② ③ ④

20

다음을 듣고, 이어질 말로 알맞은 것을 고르시오. ························· ( )

B _____

① I'm eating pizza.
② I'm reading a magazine.
③ I want to go to the zoo.
④ I don't like reading.

7 ^하 Dictation 영어 듣기 모의고사

정답 및 해석 p. 20

보통 속도 | 빠른 속도

| 학습일 | 월 일 | 부모님 확인 | 점수 |

● 잘 듣고, 빈칸에 알맞은 말을 쓰세요.

1

다음을 듣고, 들려주는 단어와 일치하는 그림을 고르시오. ·············· (   )

①  ②

③  ④

M: _____

glasses 안경

2

다음을 듣고, 기분이나 상태를 나타내는 말이 아닌 것을 고르시오. ············· (   )

①   ②   ③   ④

W: ❶ happy

❷ _____

❸ excited

❹ _____

happy 행복한 | sad 슬픈 | excited 흥분한 | difficult 어려운

TIPS 기분이나 상태를 나타내는 말에는 hungry(배고픈), sad(슬픈), sleepy(졸린), angry(화가 난) 등이 있습니다.

3

다음 그림을 보고, 그림과 일치하는 대화를 고르시오. ·············· (   )

①   ②   ③   ④

❶ W: Jim, why are you _____?

M: Someone _____ my _____.

❷ W: Jim, what's the matter?

M: I have a cold.

❸ W: What did you have for lunch?

M: I had some sandwiches.

❹ W: How do you feel today?

M: I _____ _____.

angry 화가 난 | someone 누군가 | stole 훔치다(steal)의 과거형 | matter 일 | have a cold 감기 걸리다 | sandwich 샌드위치

TIPS 남자가 화가 난 모습이므로 이와 연관된 표현을 알고 있으면 쉽게 문제를 해결할 수 있습니다.

4

다음 대화를 듣고, 남자 아이가 주말에 간 곳을 고르시오. ·········· (   )

① 동물원   ② 박물관
③ 놀이공원   ④ 도서관

G: Kevin, how was your _____?
B: It was great. I went to the _____ _____ with my family.
G: What did you do there?
B: I rode the merry-go-round, the roller coaster, and the _____ cars.

weekend 주말 | great 훌륭한 | amusement park 놀이공원 | rode 타다(ride)의 과거형 | merry-go-round 회전목마 | roller coaster 롤러코스터 | bumper car 범퍼카

TIPS amusement park, merry-go-round, roller coaster, bumper car를 알고 있다면 쉽게 정답을 알 수 있습니다.

5

다음 그림을 보고, 남자가 할 말로 알맞은 것을 고르시오. ·········· (   )

①   ②   ③   ④

M: ❶ Could you _____ _____ the light?
❷ What time is it?
❸ Can I borrow your pen?
❹ Could you _____ the _____?

turn on 켜다 | light 등, 불 | borrow 빌리다 | close 닫다 | window 창문

TIPS turn on the light(불을 켜다), borrow your pen(너의 펜을 빌리다), close the window(창문을 닫다) 등은 자주 쓰는 표현입니다.

6

다음 대화를 듣고, 여자가 티셔츠를 구입한 곳을 고르시오. ·········· (   )

① 백화점   ② 온라인 쇼핑몰
③ 중고시장   ④ 시장

M: Where did you get that T-shirt? It's so cool.
W: I bought it _____.
M: Oh, really?
W: Yes, it was _____ _____.

cool 멋진 | bought 사다(buy)의 과거형 | online 온라인으로 | on sale 세일 중

7

다음 대화를 듣고, 여자 아이가 하고 있는 모습을 고르시오. ·········· (   )

①   ② 
③    ④

B: Sally, what are you doing?
G: I'm _____ _____ of flowers.
B: Where did you get that _____?
G: I got it for my birthday.

take pictures 사진 찍다 | flower 꽃 | camera 카메라 | birthday 생일

TIPS take pictures는 '사진을 찍다'라는 의미로 쉽게 정답을 알 수 있습니다. water flowers는 '꽃에 물을 주다', walk a dog은 '개를 산책시키다', ride a bike는 '자전거를 타다'라는 의미입니다.

8

다음을 듣고, 대답으로 어울리지 <u>않는</u> 것을 고르시오. ···················· (   )

①   ②   ③   ④

M: How are you today?

W: ❶ I'm good.

   ❷ I don't _____ _____ today.

   ❸ I'm not _____.

   ❹ Very well, thank you.

today 오늘 | feel good 기분이 좋다 | hungry 배고픈

TIPS How are you today?는 '오늘 기분이 어때?'라는 의미로 이에 대한 대답으로 Very well, thank you. / I'm good. / I'm okay. / I'm fine. / Not bad. 등이 올 수 있습니다.

9

다음 대화를 듣고, 오늘이 무슨 요일인지 고르시오. ···················· (   )

① 월요일   ② 화요일
③ 목요일   ④ 금요일

M: Are you going to swimming lessons today?

W: _____ _____ is it?

M: It's _____.

W: I have swimming lessons on Monday and Friday.

lesson 수업 | Tuesday 화요일 | Monday 월요일 | Friday 금요일

TIPS 수영 강습은 월요일(Monday)하고 금요일(Friday)에 있으며, 오늘은 화요일 (Tuesday)입니다.

10

다음 대화를 듣고, 남자 아이가 좋아하는 운동을 고르시오. ···················· (   )

① 농구   ② 배구
③ 야구   ④ 축구

G: Do you like soccer?

B: Not really, but my brother does.

G: _____ _____ do you like then?

B: I like _____.

soccer 축구 | not really 그다지 | sport 운동

TIPS 운동에는 volleyball(배구), baseball(야구), table tennis(탁구), soccer (축구), basketball(농구) 등이 있습니다.

11

다음 그림을 보고, 그림을 가장 잘 묘사한 것을 고르시오. ···················· (   )

①   ②   ③   ④

M: ❶ He is running along the street.

   ❷ He is _____ in the pool.

   ❸ He is carrying a heavy bag.

   ❹ He is _____ _____ music.

along ~을 따라 | street 길, 거리 | pool 수영장 | carry 휴대하다 | heavy 무거운

TIPS run along the street은 '길을 따라 뛰다', carry a bag은 '가방을 들다', listen to music은 '음악을 듣다'라는 의미입니다.

12

다음 그림을 보고, 여자가 할 말로 알맞은 것을 고르시오. ·············· (   )

①   ②   ③   ④

W: ❶ Let's listen to music.

❷ Would you _____ _____ the volume?

❸ Please _____ _____ the lamp.

❹ Let's have dinner together.

listen to music 음악을 듣다 | turn down (소리 등) 줄이다 | volume 볼륨, 소리 |
turn off 끄다 | lamp 등 | together 함께

TIPS 아기가 자고 있으므로, 볼륨 소리를 줄이라는 말이 가장 어울립니다. turn down the volume은 '소리를 줄이다', turn up the volume은 '소리를 높이다'라는 의미입니다.

13

다음을 듣고, 친구가 실수했을 때 하는 말로 알맞은 것을 고르시오. ·············· (   )

①   ②   ③   ④

M: ❶ Don't make a _____ again.

❷ I'm sorry for being late.

❸ Have a _____ _____.

❹ You look nice.

mistake 실수 | late 늦은

TIPS Have a nice day.는 '좋은 하루 보내.'라는 의미로 주로 헤어질 때 하는 인사말입니다.

14

다음 대화를 듣고, 대화가 자연스럽지 <u>않은</u> 것을 고르시오. ·············· (   )

①   ②   ③   ④

❶ W: _____ _____ is it?

M: It's 10 dollars.

❷ W: Where is the flower shop?

M: It's over there.

❸ W: Where are you _____?

M: I'm _____ _____ Busan.

❹ W: How many brothers do you have?

M: I don't have any brothers.

dollar 달러 | flower shop 꽃집 | over there 저쪽에 | brother 형제

TIPS Where are you from?은 '어디에서 왔니?'라는 의미로 I'm from Korea. (한국에서 왔어.) 등으로 대답할 수 있습니다.

15

다음 대화를 듣고, 두 사람이 앞으로 할 일을
고르시오. ·····················( )

① TV 시청　　② 테니스 경기
③ 수영　　　　④ 컴퓨터 게임

M: Amy, let's go out and play tennis.

W: No, _____ _____. It's too hot.

　　How about playing _____ _____?

M: All right.

go out 외출하다 | **play tennis** 테니스 치다 | **hot** 더운

TIPS No, let's not.은 '아니, 하지 말자.'라는 의미로 상대방의 제안에 거절할 때
사용합니다.

16

다음 대화를 듣고, 대화가 일어나는 장소를 고
르시오. ·····················( )

① ② ③ ④

W: May I help you?

M: Yes, I'm looking for _____ _____.

W: What _____ are you looking for?

M: Causal shoes.

help 돕다 | **look for** ~을 찾다 | **shoes** 신발 | **style** 스타일 | **casual** 평상복의

TIPS shoes, style 등의 표현을 통해 정답을 알 수 있습니다.

17

다음 대화를 듣고, 여자 아이가 지난 주말에 한
일을 고르시오. ·····················( )

① 청소하기　　② 숙제하기
③ 나무심기　　④ 등산하기

G: Paul, what did you do _____ _____?

B: I visited my uncle.

G: Oh, did you? What did you do there?

B: I _____ on the farm.

　　What about you, Sally?

G: I _____ my room.

last Sunday 지난 일요일 | **visit** 방문하다 | **work** 일하다 | **farm** 농장 | **clean** 청소하다

TIPS 남자 아이는 주말에 농장에서 일했고, 여자 아이는 방 청소를 했습니다.
work on the farm 농장에서 일하다　　**clean my room** 내 방을 청소하다

18

다음 대화를 듣고, 남자가 지불할 가격을 고르시오. ·· (   )

① 7달러　　　　② 8달러
③ 9달러　　　　④ 10달러

W: May I help you?

M: Yes, please. How much is this baseball cap?

W: It's 10 dollars.

M: _____ _____ is that blue baseball cap?

W: It's _____ dollars.

M: Okay. I will _____ that blue one.

baseball cap 야구모자 | blue 파란 | take 사다

TIPS 남자는 파란색 모자를 사려고 합니다. 이 모자의 가격은 8달러입니다.
take라는 동사는 '사다, 먹다, 마시다, (얼마의 시간이) 걸리다' 등의 다양한 의미가 있습니다.

19

다음을 듣고, 이어질 말로 알맞은 것을 고르시오. ·· (   )

G _____

①　　　②　　　③　　　④

B: Maria, _____ _____ do you go to bed?

G: ❶ I go to bed _____ _____.

❷ I get up early.

❸ I go to school at 8.

❹ I take a shower before I go to bed.

go to bed 자러 가다 | get up 일어나다 | early 일찍 | take a shower 샤워하다

TIPS what time으로 물었을 때에는 정확한 시간이 들어간 표현으로 대답을 합니다.

20

다음을 듣고, 이어질 말로 알맞은 것을 고르시오. ·· (   )

B _____

① I'm eating pizza.
② I'm reading a magazine.
③ I want to go to the zoo.
④ I don't like reading.

G: Mike, what are you _____?

B: _____

read 읽다 | magazine 잡지 | zoo 동물원

TIPS read는 '읽다'라는 의미로 '무엇을 읽는지'에 대한 구제척인 답변이 필요합니다.

● 다음 들려주는 단어의 의미를 쓰세요.

단어	의미
01 excited	흥분한
02 difficult	
03 matter	
04 someone	
05 weekend	
06 light	
07 borrow	
08 cool	
09 online	
10 lesson	
11 carry	
12 heavy	
13 volume	
14 mistake	
15 farm	

7 Sentence Check

● 앞에 모의고사에 나오는 문장들을 잘 듣고, 빈칸을 완성하세요.

01 Someone _____stole_____ my bike.

02 I went to the _____ _____ with my family.

03 Could you _____ _____ _____?

04 I _____ it _____.

05 I'm _____ _____ of flowers.

06 I don't _____ _____ today.

07 I have swimming lessons _____ _____ and Friday.

08 _____ _____ do you like?

09 Let's _____ _____ _____.

10 Would you _____ _____ the volume?

11 Don't _____ _____ _____.

12 I'm sorry for _____ _____.

13 Let's _____ _____ and play tennis.

14 I _____ _____ that blue one.

15 I _____ _____ _____ before I go to bed.

영어 듣기 모의고사

보통 속도

빠른 속도

| 학습일 | 월 일 | 부모님 확인 | 점수 |

1

다음을 듣고, 그림과 일치하는 낱말을 고르시오. ························· (   )

①   ②   ③   ④

2

다음을 듣고, 상대방을 위로하는 표현을 고르시오. ························· (   )

①   ②   ③   ④

3

다음 그림을 보고, 남자 아이가 할 말로 알맞은 것을 고르시오. ························· (   )

①   ②   ③   ④

4

다음 대화를 듣고, 남자 아이의 취미를 고르시오. ························· (   )

① 노래 부르기   ② 승마

③ 자전거 타기   ④ 독서

5

다음을 듣고, 무엇에 관한 설명인지 고르시오.
·························· (   )

① ②

③ ④

6

다음 대화를 듣고, 대화가 일어나는 장소를 고르시오. ·························· (   )

① 백화점   ② 도서관
③ 시장   ④ 학교

7

다음 대화를 듣고, Susie가 매일 하는 모습을 고르시오. ·················· (   )

① ②

③ ④

8

다음을 듣고, 대답으로 어울리지 <u>않는</u> 것을 고르시오. ·················· (   )

①   ②   ③   ④

9

다음 대화를 듣고, 여자의 생일을 고르시오.
·························· (   )

① 9월 1일   ② 9월 10일
③ 10월 1일   ④ 10월 10일

10

다음 대화를 듣고, 남자 아이 삼촌의 나이를 고르시오. ·················· (   )

① 25살   ② 29살
③ 31살   ④ 35살

11

다음 그림을 보고, 그림을 가장 잘 묘사한 것을 고르시오. ·························· (　　　)

①　　　②　　　③　　　④

13

다음 대화를 듣고, 여자 아이가 부산에 가는 이유를 고르시오. ·················· (　　　)

① 할머니 방문

② 결혼식 참석

③ 여행

④ 친구 방문

14

다음 대화를 듣고, 대화가 자연스럽지 <u>않은</u> 것을 고르시오. ····················· (　　　)

①　　　②　　　③　　　④

12

다음 그림을 보고, 그림과 일치하는 대화를 고르시오. ····················· (　　　)

①　　　②　　　③　　　④

15

다음 대화를 듣고, 손님이 점심으로 먹게 될 음식을 고르시오. ··················· (　　　)

① 주스　　　　　② 빵과 우유

③ 빵과 주스　　　④ 우유

16

다음 대화를 듣고, 여자 아이의 인형을 고르시오. ···················· (   )

①    ②

③    ④

17

다음 대화를 듣고, 남자 아이가 연주할 수 <u>없는</u> 악기를 고르시오. ················· (   )

①    ②

③    ④

18

다음을 듣고, 이어질 말로 알맞은 것을 고르시오. ·························· (   )

G _____

①   ②   ③   ④

19

다음을 듣고, 이어질 말로 알맞은 것을 고르시오. ·························· (   )

B _____

①   ②   ③   ④

20

다음 대화를 듣고, 이어질 말로 알맞은 것을 고르시오. ·························· (   )

W _____

① You're welcome.
② Yes, it's very delicious.
③ Sure. Go ahead.
④ Sure. I'd love to.

보통 속도 | 빠른 속도

정답 및 해석 p. 23

Dictation 영어 듣기 모의고사

| 학습일 | 월 | 일 | 부모님 확인 | 점수 |

● 잘 듣고, 빈칸에 알맞은 말을 쓰세요.

1

다음을 듣고, 그림과 일치하는 낱말을 고르시오. ·············· (   )

① ② ③ ④

M: ❶ zebra

❷ _____

❸ lion

❹ _____

zebra 얼룩말 | bear 곰 | lion 사자 | giraffe 기린

2

다음을 듣고, 상대방을 위로하는 표현을 고르시오. ·············· (   )

① ② ③ ④

W: ❶ _____ _____!

Everything will be okay.

❷ Long time _____ _____.

❸ Sounds good.

❹ Thank you for your kindness.

cheer up 기운 내다 | see 보다 | kindness 친절

TIPS Cheer up!은 '기운 내!'라는 의미로 상대방을 위로할 때 사용합니다.
Long time no see.는 오랜만에 누군가를 만날 때 사용하는 표현입니다.

3

다음 그림을 보고, 남자 아이가 할 말로 알맞은 것을 고르시오. ·············· (   )

① ② ③ ④

B: ❶ I want some ice cream.

❷ Let's go _____.

❸ Look! It's _____.

❹ Thank you for your time.

ice cream 아이스크림 | snow 눈이 오다

TIPS 밖에 눈이 내리고 있으므로, Look! It's snowing.이 어울립니다. Thank you for your time.은 '시간 내 주셔서 감사합니다.'라는 의미로 헤어질 때 하는 인사말입니다.

4

다음 대화를 듣고, 남자 아이의 취미를 고르시오. ·················· (　)

① 노래 부르기　　② 승마
③ 자전거 타기　　④ 독서

G: Do you have any hobbies?

B: I _____ _____ my bike.

G: How often do you ride your bike?

B: _____ _____ a week.

hobby 취미 | **ride** 타다 | **bike** 자전거 | **how often** 얼마나 자주 | **time** 번 | **week** 주

TIPS '취미가 뭐니?'라고 할 때 What's your hobby? 외에 Do you have any hobbies?나 What do you do in your free time? 또는 What do you do for fun? 등으로 표현하세요.

5

다음을 듣고, 무엇에 관한 설명인지 고르시오. ·················· (　)

①　　②

③　　④

M: I eat _____.

I have _____ ears and pretty red eyes.

I love to eat _____.

grass 풀 | **ear** 귀 | **pretty** 예쁜 | **red** 빨간 | **eye** 눈

TIPS 귀가 길고, 눈이 빨간색이고, 당근을 좋아하는 동물은 토끼입니다.

6

다음 대화를 듣고, 대화가 일어나는 장소를 고르시오. ·················· (　)

① 백화점　　② 도서관
③ 시장　　④ 학교

B: Sorry. I'm late.

W: What happened?

B: I got up _____ this morning, and I _____ the school bus.

W: Don't be late for _____ again.

B: Okay. I won't.

late 늦은, 늦게 | **happen** (일이) 일어나다 | **get up** 일어나다 | **miss** 놓치다

TIPS school bus, late for class 등의 표현으로 장소가 학교라는 것을 알 수 있습니다.

7

다음 대화를 듣고, Susie가 매일 하는 모습을 고르시오. ·················· (　)

①　　②

③　　④

M: Susie, do you have _____ _____?

W: Yes, I have two dogs.

M: Do you _____ _____ every day?

W: Yes, I walk them every day.

pet 반려동물 | **walk** 산책시키다 | **every day** 매일

TIPS them은 two dogs를 의미합니다.

8

다음을 듣고, 대답으로 어울리지 <u>않는</u> 것을 고르시오. ·········· ( )

① ② ③ ④

M: _____ _____ like some water?

W: ❶ Yes, _____.

   ❷ No, thanks.

   ❸ Yes, I'm _____ now.

   ❹ No, I'm not thirsty.

water 물 | thank 감사하다 | busy 바쁜 | thirsty 목마른

TIPS Yes, please.는 '예, 그렇게 해 주세요.'라는 의미로 제안을 받아들일 때 사용하고, No, thanks.는 '아니오, 고마워요.'라는 의미로 제안을 거절할 때 사용합니다.

9

다음 대화를 듣고, 여자의 생일을 고르시오. ······················· ( )

① 9월 1일   ② 9월 10일
③ 10월 1일   ④ 10월 10일

W: What's the _____ today?

M: It's October 1.

W: My _____ is coming soon.

M: Oh, when is it?

W: It's _____ 10.

date 날짜 | October 10월 | birthday 생일 | come soon 곧 다가오다

TIPS 날짜를 표시할 때 기수를 사용해서 쓰지만 읽을 때나 말할 때에는 서수로 말해야 합니다.

10

다음 대화를 듣고, 남자 아이 삼촌의 나이를 고르시오. ·········· ( )

① 25살   ② 29살
③ 31살   ④ 35살

G: Who is that man over there?

B: He's _____ _____.

G: Really? Your uncle is very tall and handsome. _____ _____ is he?

B: He is _____ years old.

over there 저쪽에 | uncle 삼촌 | handsome 잘생긴

TIPS How old ~?는 나이를 물을 때 쓸 수 있는 표현입니다.

11

다음 그림을 보고, 그림을 가장 잘 묘사한 것을 고르시오. ·········· ( )

① ② ③ ④

W: ❶ There is a cat _____ the table.

   ❷ There is a cat behind the table.

   ❸ There is a cat _____ the table.

   ❹ There is a cat _____ _____ the table.

under ~ 아래에 | table 식탁 | behind ~ 뒤에 | on ~ 위에 | next to ~ 옆에

TIPS 전치사는 명사 앞에 서서 위치를 나타낼 수 있습니다.
under ~ 아래에   behind ~ 뒤에   next to ~ 옆에   on ~위에
in front of ~ 앞에

12

다음 그림을 보고, 그림과 일치하는 대화를 고르시오. ·························· (   )

① ② ③ ④

❶ W: How would you like your steak?

M: Medium, please.

❷ W: Oh! The line is _____ _____.

M: This restaurant is very _____ among the younger people.

❸ W: Are you _____ now?

M: No, I'm _____ today.

❹ W: When is the concert?

M: The concert is next Friday.

steak 스테이크 | medium 중간의 | line 줄 | restaurant 식당 | popular 인기 있는 | among ~ 사이에 | people 사람들 | busy 바쁜 | free 한가한 | concert 콘서트

TIPS 사람들이 줄을 서서 기다리는 모습으로 이에 관련된 표현(The line is very long.)을 찾는 것이 문제 해결의 열쇠입니다.

13

다음 대화를 듣고, 여자 아이가 부산에 가는 이유를 고르시오. ·········· (   )

① 할머니 방문
② 결혼식 참석
③ 여행
④ 친구 방문

B: How about _____ _____ this Saturday?

G: I'm sorry, but I can't. I have to go to Busan.

B: Why?

G: I'm going to _____ my uncle's _____.

tennis 테니스 | Saturday 토요일 | sorry 미안한 | attend 참석하다 | wedding 결혼식

TIPS attend the wedding은 '결혼식에 참석하다'의 의미입니다.

14

다음 대화를 듣고, 대화가 자연스럽지 않은 것을 고르시오. ·········· (   )

① ② ③ ④

❶ M: Do you have any brothers?

W: No, I don't.

❷ M: _____ is he?

W: He is _____ the _____.

❸ M: Where are you _____?

W: I'm from Sydney, Australia.

❹ M: What are you going to do tomorrow?

W: I will stay at home.

brother 형제 | who 누구 | where 어디 | tomorrow 내일 | stay 머무르다

TIPS Who is he?(그는 누구니?)에 대한 대답은 He is my cousin.(내 사촌이야.) 등으로 합니다.

15

다음 대화를 듣고, 손님이 점심으로 먹게 될 음식을 고르시오. ·············· ( )

① 주스
② 빵과 우유
③ 빵과 주스
④ 우유

M: May I take your order?

W: Yes, I want some _____ and _____.

M: Sorry, we have no milk.
How about _____ _____?

W: Okay.

order 주문 | bread 빵 | milk 우유 | juice 주스

TIPS 우유가 없다고 하자 손님은 주스를 대신 주문했습니다.

16

다음 대화를 듣고, 여자 아이의 인형을 고르시오. ·············· ( )

① ② ③ ④

B: Cathy, what are you doing?

G: I'm looking for _____ _____.

B: Is this your doll?

G: No, it isn't. My doll has _____ _____
and is wearing a _____ _____.

B: Oh, I see.

look for ~을 찾다 | doll 인형 | long 긴 | wear 입다

TIPS long hair와 a white dress가 문제 해결의 열쇠입니다.

17

다음 대화를 듣고, 남자 아이가 연주할 수 없는 악기를 고르시오. ·············· ( )

① ② ③ ④

G: Paul, what are you doing?

B: I'm practicing the _____.

G: What other musical instruments can you play?

B: I can _____ _____ _____
and the _____.

G: That's cool. How about the flute?
Can you play the flute?

B: No, I can't.

practice 연습하다 | violin 바이올린 | musical instrument 악기 | guitar 기타 |
cool 멋진 | flute 플루트

TIPS [play the + 악기명]은 '악기를 연주한다'라고 할 때 쓰는 표현입니다.

18

다음을 듣고, 이어질 말로 알맞은 것을 고르시오. ·································· (   )

G _____

①   ②   ③   ④

B: I'm going to the park with Tina.

Do you want to _____ _____?

G: ❶ Sorry, I can't. I'm _____.

❷ No thanks. I'm full.

❸ I don't have sunglasses.

❹ You _____ _____ today.

park 공원 | **join** 함께하다 | **tired** 피곤한 | **full** 배부른 | **sunglasses** 선글라스

TIPS 공원에 같이 가자는 제안에 알맞은 대답으로 Sorry, I can't. I'm tired. (미안하지만, 피곤해서 갈 수 없어.)가 어울립니다.

19

다음을 듣고, 이어질 말로 알맞은 것을 고르시오. ·································· (   )

B _____

①   ②   ③   ④

G: Sam, _____ _____ have a good weekend?

B: ❶ No problem.

❷ Yes, I like the weekend.

❸ No, I don't have any plans.

❹ Yes, I _____.

weekend 주말 | **problem** 문제 | **plan** 계획

TIPS did로 물으면 did나 didn't를 이용해 대답합니다.

20

다음 대화를 듣고, 이어질 말로 알맞은 것을 고르시오. ·································· (   )

W _____

① You're welcome.
② Yes, it's very delicious.
③ Sure. Go ahead.
④ Sure. I'd love to.

W: May I help you?

B: I'm looking for some pants. _____ _____ are these pants?

W: They're only 10 dollars.

B: May I _____ these _____?

W: _____

pants 바지 | **only** 오직 | **try on** 입어 보다

TIPS May I try these on?는 '이거 입어 봐도 되요?'라는 의미이며, 이에 대한 대답으로 Sure. Go ahead.(물론이죠, 입어보세요.)가 어울립니다. Go ahead.는 Can I use your computer?(네 컴퓨터를 사용해도 될까?)처럼 상대방이 허락을 구할 때, 긍정의 의미로 대답할 때 사용합니다.

● 다음 들려주는 단어의 의미를 쓰세요.

	단어	의미
01	zebra	얼룩말
02	giraffe	
03	kindness	
04	miss	
05	walk	
06	thirsty	
07	handsome	
08	medium	
09	restaurant	
10	popular	
11	attend	
12	wedding	
13	doll	
14	sunglasses	
15	pants	

● 앞에 모의고사에 나오는 문장들을 잘 듣고, 빈칸을 완성하세요.

01 ___Cheer___ ___up___!

02 Thank you for _____ _____.

03 I _____ _____ my bike.

04 I _____ _____ late this morning.

05 Don't be _____ _____ class again.

06 I _____ _____ every day.

07 Would you like _____ _____?

08 My birthday is _____ _____.

09 Your uncle is very _____ and _____.

10 The restaurant is very popular _____ the younger _____.

11 I'm going to _____ my uncle's _____.

12 _____ _____ take your order?

13 I'm _____ the violin.

14 You _____ _____ today.

15 _____ _____.

영어 듣기 모의고사

보통 속도   빠른 속도

| 학습일 | 월 | 일 | 부모님 확인 | 점수 |

1

다음을 듣고, 그림과 일치하는 낱말을 고르시오. ·········· (   )

①   ②   ③   ④

2

다음을 듣고, 학용품을 나타내는 말이 <u>아닌</u> 것을 고르시오. ······················ (   )

①   ②   ③   ④

3

다음 그림을 보고, 여자 아이가 할 말로 알맞은 것을 고르시오. ·············· (   )

①   ②   ③   ④

4

다음 대화를 듣고, 남자 아이가 방과 후에 하는 일을 고르시오. ·············· (   )

① 수영 교습   ② 숙제하기

③ 산책하기   ④ 컴퓨터 게임

5

다음을 듣고, 무엇에 관한 설명인지 고르시오.
······················· (   )

① ②

③ ④

8

다음 대화를 듣고, 대화가 자연스럽지 않은 것을 고르시오. ······················· (   )

①   ②   ③   ④

6

다음 대화를 듣고, 여자 아이가 지불해야 할 금액을 고르시오. ······················· (   )

① 3달러   ② 4달러

③ 5달러   ④ 6달러

7

다음 대화를 듣고, 남자 아이가 방과 후에 할 일을 고르시오. ······················· (   )

① ②

③ ④

9

다음 대화를 듣고, 여자가 하고 있는 모습을 고르시오. ······················· (   )

① ②

③ ④

10

다음 대화를 듣고, 여자 아이가 지난 주말에 한 일을 고르시오. ······················ (　　　)

① 야구　　　　　　② 숙제

③ 청소　　　　　　④ 수영

11

다음을 듣고, 그림 설명이 올바르지 않은 것을 고르시오. ························ (　　　)

①　　　②　　　③　　　④

12

다음 대화를 듣고, 여자가 산 물건과 가격을 고르시오. ······················ (　　　)

①

$3

②

$2

③
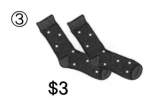
$3

④

$2

13

다음 대화를 듣고, 대화하는 장소를 고르시오.
··································· (　　　)

① 거실　　　　　　② 부엌

③ 화장실　　　　　④ 정원

14

다음 대화를 듣고, 누구에 관하여 얘기하고 있는지 고르시오. ····················· (　　　)

① 여자의 엄마　　　② 여자의 이모

③ 여자의 사촌　　　④ 여자의 삼촌

15

다음 대화를 듣고, 지금 날씨로 알맞은 것을 고르시오. ·················· (   )

① ② ③ ④

16

다음 대화를 듣고, 남자 아이가 파티에 갈 수 <u>없는</u> 이유를 고르시오. ·············· (   )

① 교통사고를 당해서
② 파티 준비를 해야 해서
③ 캠핑을 가야 해서
④ 병문안을 가야 해서

17

다음 대화를 듣고, 현재의 시각을 고르시오.
··· (   )

① 1시 10분   ② 2시 10분
③ 1시 15분   ④ 2시 20분

18

다음을 듣고, 허락을 구하는 표현을 고르시오.
··· (   )

① ② ③ ④

19

다음을 듣고, 이어질 말로 알맞은 것을 고르시오. ··························· (   )

B _____

① ② ③ ④

20

다음 대화를 듣고, 이어질 말로 알맞은 것을 고르시오. ··························· (   )

M _____

① You're welcome.
② It's my pleasure.
③ Thank you very much.
④ I'm happy to meet you.

| 학습일 | 월 일 | 부모님 확인 | 점수 |

●잘 듣고, 빈칸에 알맞은 말을 쓰세요.

1

다음을 듣고, 그림과 일치하는 낱말을 고르시오. ·············· (   )

①   ②   ③   ④

M: ❶ _____

   ❷ excited

   ❸ _____

   ❹ sad

happy 행복한 | excited 신이 난 | angry 화난 | sad 슬픈

2

다음을 듣고, 학용품을 나타내는 말이 <u>아닌</u> 것을 고르시오. ·············· (   )

①   ②   ③   ④

W: ❶ notebook

   ❷ _____

   ❸ eraser

   ❹ _____

notebook 공책 | pencil 연필 | eraser 지우개 | classroom 교실

TIPS 학용품 관련 용어로는 pencil(연필), eraser(지우개), pencil case(필통), ruler(자), crayon(크레용), notebook(공책), glue stick(막대풀) 등이 있습니다.

3

다음 그림을 보고, 여자 아이가 할 말로 알맞은 것을 고르시오. ·············· (   )

①   ②   ③   ④

G: ❶ I'm really tired.

   ❷ Please, _____ _____.

   ❸ Oh, that's too bad.

   ❹ Can I _____ your book?

tired 피곤한 | quiet 조용한 | too 너무 | bad 나쁜 | borrow 빌리다

TIPS 남자 아이가 도서관에서 통화하고 있는 그림이므로 Please, be quiet.(조용히 해주세요.)가 가장 어울리는 표현입니다.

4

다음 대화를 듣고, 남자 아이가 방과 후에 하는 일을 고르시오. .... (   )

① 수영 교습　　　② 숙제하기
③ 산책하기　　　④ 컴퓨터 게임

G: What do you do after school?

B: I usually do my _____ after school.

G: What do you do after dinner?

B: After dinner, I _____ _____

_____ with my mom.

after school 방과 후에 | usually 보통 | homework 숙제 | after dinner 저녁식사 후에 | take a walk 산책하다

TIPS take a walk는 '산책하다'라는 의미입니다.

5

다음을 듣고, 무엇에 관한 설명인지 고르시오.
.... (   )

① ② ③ ④

M: I'm a _____ animal.

I can run very fast.

I have a _____ tail.

I like _____.

big 큰 | fast 빨리 | tail 꼬리 | carrot 당근

TIPS 꼬리가 길고, 빨리 달리고, 당근을 좋아하는 커다란 동물은 말입니다.

6

다음 대화를 듣고, 여자 아이가 지불해야 할 금액을 고르시오. .... (   )

① 3달러　　　② 4달러
③ 5달러　　　④ 6달러

M: May I help you?

G: Yes, I'm looking for a notebook.

How much is the _____ _____?

M: It's 5 dollars.

G: How much is the _____ notebook?

M: It's 4 dollars.

G: I will _____ the red one.

notebook 공책 | take 사다

TIPS the red one에서 one은 notebook을 의미합니다. 동사 take은 '사다'라는 의미입니다.

7

다음 대화를 듣고, 남자 아이가 방과 후에 할 일을 고르시오. .... (   )

① ② ③ ④

G: Paul, what are you going to do after school?

B: I'm going to _____ _____

_____ with my friends.

G: Do you always wear a _____ when you go bike riding?

B: Yes, I do.

ride a bike 자전거를 타다 | always 항상, 언제나 | helmet 헬멧

TIPS ride a bike(자전거를 타다), wear a helmet(헬멧을 쓰다)과 관련된 그림을 찾아보세요.

8

다음 대화를 듣고, 대화가 자연스럽지 <u>않은</u> 것을 고르시오. ················ (   )

①   ②   ③   ④

❶ M: Do you have time tomorrow?

   W: Yes, I do. Why?

❷ M: I feel hungry.

   _____ _____ something.

   W: That's a good idea.

❸ M: Can you come to my birthday party?

   W: _____ a nice _____!

❹ M: What are you going to do this weekend?

   W: I'm going to play baseball with my friends.

tomorrow 내일 | hungry 배고픈 | idea 생각 | birthday party 생일 파티 |
weekend 주말 | baseball 야구

TIPS What a nice party!는 '무척 멋진 파티구나!'라는 감탄문입니다.
Can you come to my birthday party?에 대한 대답으로는 Yes, I can. /
No, I can't.로 답합니다.

9

다음 대화를 듣고, 여자가 하고 있는 모습을 고르시오. ················ (   )

①   ②

③   ④

M: What are you doing?

W: I'm drawing _____.

M: What are you _____?

W: I'm drawing pictures of _____.

draw 그리다 | picture 그림 | flower 꽃

TIPS draw pictures(그림을 그리다)와 연관된 그림을 고르세요.

10

다음 대화를 듣고, 여자 아이가 지난 주말에 한 일을 고르시오. ················ (   )

① 야구   ② 숙제
③ 청소   ④ 수영

B: How was your _____, Julia?

G: It was great. I went to Busan with my family.

B: What did you do there?

G: I _____ at the beach and _____
in the sea.

B: Sounds great.

weekend 주말 | family 가족 | beach 해변 | sea 바다

TIPS swim의 과거형은 swam입니다. 과거형 동사의 발음도 반드시 알아야 합니다.

11

다음을 듣고, 그림 설명이 올바르지 않은 것을 고르시오. ……………… (   )

① ② ③ ④

W: ❶ There are students in the classroom.
  ❷ The students are ＿＿＿＿＿ on the chairs.
  ❸ There is a ＿＿＿＿＿ on the wall.
  ❹ There are books on the ＿＿＿＿＿.

classroom 교실 | **sit** 앉다 | **map** 지도 | **wall** 벽 | **shelf** 선반

TIPS 벽에는 시계가 있습니다.(There is a clock on the wall.)

12

다음 대화를 듣고, 여자가 산 물건과 가격을 고르시오. ……………… (   )

① $3
② $2
③ $3
④ $2

M: May I help you?
W: Yes, I'm looking for some ＿＿＿＿＿.
M: How about these? They're on sale.
W: How much are they?
M: They are ＿＿＿＿＿ ＿＿＿＿＿.
W: Okay. I'll ＿＿＿＿＿ them.

help 돕다 | **socks** 양말 | **on sale** 할인 중인 | **dollar** 달러 | **take** 사다

TIPS 양말은 쌍을 이루고 있으므로 복수형(socks)으로 씁니다.
How about these?에서 these는 socks를 대신해 쓴 대명사입니다.

13

다음 대화를 듣고, 대화하는 장소를 고르시오.
……………… (   )

① 거실   ② 부엌
③ 화장실   ④ 정원

B: Mom. What are you making?
W: I am ＿＿＿＿＿ spaghetti for ＿＿＿＿＿.
B: Wow, it smells so good. Is there anything I can do for you?
W: Can you ＿＿＿＿＿ ＿＿＿＿＿ ＿＿＿＿＿?
B: Sure, no problem.

make 만들다 | **spaghetti** 스파게티 | **smell good** 냄새가 좋다 |
set the table 식탁을 차리다

TIPS 어머니가 저녁식사를 준비하고 있으므로 부엌에서 일어나는 대화입니다. make some spaghetti, set the table과 같은 표현들이 문제 해결의 열쇠입니다.

14

다음 대화를 듣고, 누구에 관하여 얘기하고 있는지 고르시오. ················ (　　)

① 여자의 엄마　　② 여자의 이모
③ 여자의 사촌　　④ 여자의 삼촌

M: Who is that woman at the door?

W: She's _____ _____.

M: Does she live with you?

W: No, she doesn't.

She _____ _____ Suwon.

She will stay at my house this weekend.

woman 여자 | aunt 이모 | stay 머무르다 | house 집 | weekend 주말

TIPS 가족을 나타내는 단어로는 aunt(이모, 고모), uncle(삼촌), cousin(사촌), nephew(남자 조카), niece(여자 조카) 등이 있습니다.

15

다음 대화를 듣고, 지금 날씨로 알맞은 것을 고르시오. ················ (　　)

① ② ③ ④

M: Cindy, do you have an _____?

W: No, I don't. Why?

M: It's _____ _____.

W: Can I _____ your umbrella?

M: Sure. No problem.

umbrella 우산 | rain 비가 오다 | outside 밖에 | borrow 빌리다

TIPS It's raining outside.(밖에 비가 오고 있어.) 문장이 문제 해결의 열쇠입니다.

16

다음 대화를 듣고, 남자 아이가 파티에 갈 수 없는 이유를 고르시오. ················ (　　)

① 교통사고를 당해서
② 파티 준비를 해야 해서
③ 캠핑을 가야 해서
④ 병문안을 가야 해서

G: Mike, can you come to my birthday party today?

B: I'd _____ _____, but I can't.

I have to go to the hospital.

G: Why?

B: My brother had a _____ _____,

and he is in the hospital.

birthday party 생일 파티 | today 오늘 | hospital 병원 | car accident 교통사고

TIPS He is in the hospital.은 '그가 병원에 입원해 있다.'라는 의미입니다.

17

다음 대화를 듣고, 현재의 시각을 고르시오.
··· (　　)

① 1시 10분　　② 2시 10분
③ 1시 15분　　④ 2시 20분

W: We have to hurry. The train will leave soon.

M: What? _____ _____ is it now?

W: It's _____.

M: Oh, we are late. Let's run to the station.

hurry 서두르다 | leave 떠나다 | soon 곧 | now 지금 | late 늦은 | station 역

TIPS It's 2:10.은 '2시 10분.'이란 의미입니다. past를 이용해서 It's ten past two. 라고 말할 수도 있습니다.

18

다음을 듣고, 허락을 구하는 표현을 고르시오.
·······································(   )

①   ②   ③   ④

M: ❶ Do you like apples?

❷ How are you today?

❸ _____ _____ a book on the table?

❹ _____ _____ use your pencil?

today 오늘 | table 식탁 | use 사용하다

TIPS 조동사 can은 '~할 수 있니?'라는 능력을 물을 때와 '~해도 되니?'라고 허락 여부를 물을 때 사용할 수 있습니다.

19

다음을 듣고, 이어질 말로 알맞은 것을 고르시오. ·······································(   )

B _____

①   ②   ③   ④

G: _____ _____ money do you have now?

B: ❶ I have some milk.

❷ I have three pencils.

❸ It's 10 dollars.

❹ I don't have _____ _____.

money 돈 | now 지금 | milk 우유 | any 하나도

TIPS It's 10 dollars.가 답이 되려면. How much is it? 등으로 질문해야 합니다.

20

다음 대화를 듣고, 이어질 말로 알맞은 것을 고르시오. ·······································(   )

M _____

① You're welcome.
② It's my pleasure.
③ Thank you very much.
④ I'm happy to meet you.

M: Excuse me. Is there a post office around here?

W: Yes, go straight and _____ _____.
The post office is _____ _____ the flower shop.

M: _____

post office 우체국 | around ~ 근처에 | here 여기 | go straight 곧장 가다 | turn left 왼쪽으로 돌다 | next to ~ 옆에 | flower shop 꽃집

TIPS 남자는 여자에게 감사의 표현을 해야 하므로, Thank you very much.가 가장 어울립니다.

● 다음 들려주는 단어의 의미를 쓰세요.

단어	의미
01 notebook	공책
02 quiet	
03 borrow	
04 usually	
05 homework	
06 always	
07 tomorrow	
08 picture	
09 family	
10 wall	
11 shelf	
12 outside	
13 leave	
14 soon	
15 station	

● 앞에 모의고사에 나오는 문장들을 잘 듣고, 빈칸을 완성하세요.

01 Please, ___be___ ___quiet___.

02 I usually _____ _____ _____ after school.

03 _____ _____ is the blue notebook?

04 I'm going to _____ _____ _____ with my friends.

05 I played at the beach and swam _____ _____ _____.

06 There is a map _____ _____ _____.

07 They're _____ _____.

08 It _____ so _____.

09 She will stay at my house _____ _____.

10 It's _____ _____.

11 My brother had a _____ _____.

12 The train will _____ _____.

13 _____ _____ to the station.

14 I don't have _____ _____.

15 Go straight and _____ _____.

| 학습일 | 월 일 | 부모님 확인 | 점수 |

1

다음을 듣고, 그림과 일치하는 낱말을 고르시오. ·····························( )

① ② ③ ④

2

다음을 듣고, 과일을 나타내는 말이 <u>아닌</u> 것을 고르시오. ·····················( )

① ② ③ ④

3

다음 대화를 듣고, 남자 아이가 찾는 것을 고르시오. ·····························( )

①  ②

③  ④

4

다음 그림을 보고, 그림과 일치하는 대화를 고르시오. ·····························( )

① ② ③ ④

5

다음 그림을 보고, 남자 아이가 할 말로 알맞은 것을 고르시오. ·············· (   )

①   ②   ③   ④

6

다음 대화를 듣고, 여자 아이가 지불해야 할 금액을 고르시오. ·············· (   )

① 3달러   ② 4달러

③ 5달러   ④ 6달러

7

다음 대화를 듣고, Susie의 모습을 고르시오.
·············· (   )

①    ②

③    ④

8

다음 대화를 듣고, 대화가 자연스럽지 <u>않은</u> 것을 고르시오. ·············· (   )

①   ②   ③   ④

9

다음 대화를 듣고, 남자 아이의 엄마 모습을 고르시오. ·············· (   )

①    ②

③    ④

10

다음 대화를 듣고, 대화가 일어나는 장소를 고르시오. ·························· (   )

① 제과점   ② 편의점
③ 도서관   ④ 꽃 가게

11

다음을 듣고, 그림 설명이 올바르지 <u>않은</u> 것을 고르시오. ·························· (   )

①   ②   ③   ④

12

다음을 듣고, 상대방의 의견에 동의할 때 하는 말로 알맞은 것을 고르시오. ········ (   )

①   ②   ③   ④

13

다음 대화를 듣고, 무엇에 관한 내용인지 고르시오. ·························· (   )

① 격려하기   ② 칭찬하기
③ 초대하기   ④ 거절하기

14

다음 대화를 듣고, 남자 아이가 내일 할 일을 고르시오. ····························· (   )

① 놀이동산 가기
② 현장 학습 가기
③ 학교 청소하기
④ 책 반납하기

15

다음 대화를 듣고, 남자가 어제 집에 있었던 이유를 고르시오. ························ (   )

① 강아지를 돌봐야 해서
② 어머니를 도와 줘야 해서
③ 숙제를 해야 해서
④ 동생을 돌봐야 해서

16

다음 대화를 듣고, 여자 아이가 먹을 음식을 고르시오. ·························· (　　　)

① APPLE JUICE

②

③

④

17

다음 대화를 듣고, 두 사람이 만날 시각을 고르시오. ·························· (　　　)

① 4시 30분　　② 6시 20분
③ 6시 30분　　④ 6시 50분

18

다음을 듣고, 질문에 대한 대답으로 알맞지 <u>않은</u> 것을 고르시오. ·················· (　　　)

G _____

①　　②　　③　　④

19

다음을 듣고, 이어질 말로 알맞은 것을 고르시오. ····························· (　　　)

M _____

①　　②　　③　　④

20

다음 대화를 듣고, 이어질 말로 알맞은 것을 고르시오. ·························· (　　　)

M _____

① Here you are.
② Two sodas, please.
③ Thank you very much.
④ I don't have money now.

10회 Dictation 영어 듣기 모의고사

| 학습일 | 월   일 | 부모님 확인 | 점수 |

● 잘 듣고, 빈칸에 알맞은 말을 쓰세요.

1

다음을 듣고, 그림과 일치하는 낱말을 고르시오. ·············· (   )

① ② ③ ④

W: ❶ chair

❷ _____

❸ baseball cap

❹ _____

chair 의사 | desk 책상 | baseball cap 야구모자 | sofa 소파

2

다음을 듣고, 과일을 나타내는 말이 <u>아닌</u> 것을 고르시오. ·············· (   )

① ② ③ ④

M: ❶ apple

❷ _____

❸ orange

❹ _____

apple 사과 | banana 바나나 | orange 오렌지 | cheese 치즈

TIPS 과일을 나타내는 말에는 watermelon(수박), pear(배), peach(복숭아) 등이 있습니다.

3

다음 대화를 듣고, 남자 아이가 찾는 것을 고르시오. ·············· (   )

①  ②

③  ④

G: What are you doing now?

B: I'm looking for my gloves.

G: _____ _____ are they?

B: They are _____.

look for ~을 찾다 | gloves 장갑 | color 색 | green 초록의

TIPS 장갑과 같이 쌍을 이루는 물건은 복수형(gloves)으로 씁니다.
What color are they?에서 they는 gloves를 의미합니다.

4

다음 그림을 보고, 그림과 일치하는 대화를 고르시오. ……………………… (   )

① ② ③ ④

5

다음 그림을 보고, 남자 아이가 할 말로 알맞은 것을 고르시오. ……………… (   )

① ② ③ ④

6

다음 대화를 듣고, 여자 아이가 지불해야 할 금액을 고르시오. ……………… (   )

① 3달러　　② 4달러
③ 5달러　　④ 6달러

7

다음 대화를 듣고, Susie의 모습을 고르시오.
……………………………… (   )

① ②
③ ④

❶ G: It's time to _____ _____ _____.

B: Already? Can I play some more computer games?

❷ G: I got an A on my _____ _____.

B: Good for you!

❸ G: Where is your book?

B: It's on the desk.

❹ G: You look sad. What _____?

B: I lost my notebook.

go to bed 자다 | already 벌써 | more 더 | math 수학 | happen 일어나다 | notebook 공책

TIPS Good for you!은 '잘했어!'라는 의미로 칭찬할 때 사용합니다.

B: ❶ Can you help me?

❷ Can I have _____ _____?

❸ Would you stop drinking?

❹ Would you _____ _____?

coffee 커피 | stop 멈추다 | drinking 음주(술을 마시는 것) | smoking 흡연(담배 피우는 것)

TIPS stop smoking은 '담배 피우는 것을 멈추다'라는 의미입니다.

M: May I help you?

G: Yes, I'm looking for a pen. Oh, I like this pen. How much is it?

M: It's _____ _____.
How many pens do you need?

G: I need _____ _____.

look for ~을 찾다 | need 필요하다

TIPS 펜은 1개에 2달러이고, 여자 아이는 펜 2개가 필요합니다.

M: Where is Susie?

W: She is in the garden.

M: What is she doing in the _____?

W: She is _____ _____.

garden 정원 | water 물을 주다 | flower 꽃

TIPS water flowers은 '꽃에 물을 주다'라는 의미입니다.

8

다음 대화를 듣고, 대화가 자연스럽지 <u>않은</u> 것을 고르시오. ·················· (   )

①   ②   ③   ④

❶ M: Is this your bike?

   W: Yes, it is.

❷ M: What is your _____ _____?

   W: I like spaghetti.

❸ M: Can I borrow your pencil?

   W: No, _____ _____.

❹ M: When is your birthday?

   W: It's March 10.

bike 자전거 | favorite 좋아하는 | food 음식 | borrow 빌리다 | birthday 생일 | March 3월

TIPS No, thank you.는 '고맙지만 사양하겠습니다.'라는 의미로 Would you like some more cake?(케이크 좀 더 드시겠어요?)로 물을 때 답할 수 있습니다.

9

다음 대화를 듣고, 남자 아이의 엄마 모습을 고르시오. ·················· (   )

①　　②　　③　　④

B: What are you doing, Mom?

W: I'm _____ _____.

   Are you hungry?

B: Yes, I'm very hungry.

W: Dinner will be ready soon. Can you _____ _____ _____?

B: Okay, Mom.

cook 요리하다 | dinner 저녁(식사) | hungry 배고픈 | ready 준비된 | soon 곧 | set the table 식탁을 준비하다

TIPS cook dinner는 '저녁을 요리하다'라는 뜻으로 문제 해결의 열쇠가 될 수 있습니다.

10

다음 대화를 듣고, 대화가 일어나는 장소를 고르시오. ·················· (   )

① 제과점   ② 편의점
③ 도서관   ④ 꽃 가게

W: What can I do for you?

B: I want to buy _____ _____ for my mom.

W: What kind of flowers do you want?

B: I want some _____ _____.

W: Oh, I see.

buy 사다 | flower 꽃 | kind 종류 | rose 장미

TIPS some flowers와 red roses 등의 표현이 문제 해결의 열쇠가 될 수 있습니다.
cherry blossom 벚꽃   lily 백합   tulip 튤립

11

다음을 듣고, 그림 설명이 올바르지 않은 것을 고르시오. ········ (   )

① ② ③ ④

W: ❶ A woman is reading a book.
　　❷ There is a _____ on the wall.
　　❸ There are many books in the _____.
　　❹ A man is wearing a _____ _____.

woman 여자 | clock 시계 | wall 벽 | bookcase 책장
TIPS 남자는 흰색 셔츠를 입고 있습니다.

12

다음을 듣고, 상대방의 의견에 동의할 때 하는 말로 알맞은 것을 고르시오. ········ (   )

① ② ③ ④

M: ❶ I'm sorry, but I can't.
　　❷ That's a _____ _____.
　　❸ That's _____ _____.
　　❹ I'm happy to meet you.

sorry 미안한 | great 훌륭한 | idea 생각 | meet 만나다
TIPS 제안을 거절할 때는 I'm sorry, but I can't.로, 누군가에게 좋지 않은 일이 생겼을 때는 That's too bad.라고 말할 수 있습니다.

13

다음 대화를 듣고, 무엇에 관한 내용인지 고르시오. ···························· (   )

① 격려하기　　② 칭찬하기
③ 초대하기　　④ 거절하기

M: Can you _____ _____ my birthday party tomorrow?
W: Sure. What time is your party?
M: It's at 7.
W: Thanks. I'll _____ _____.
M: Okay. See you then.

birthday party 생일 파티 | tomorrow 내일 | there 거기에
TIPS 남자가 여자를 생일 파티에 초대하고 있는 대화입니다.

14

다음 대화를 듣고, 남자 아이가 내일 할 일을 고르시오. ···························· (   )

① 놀이동산 가기
② 현장 학습 가기
③ 학교 청소하기
④ 책 반납하기

G: Sam, where are you going?
B: I'm going to the convenience store.
G: _____?
B: I'm going on a school _____ _____ tomorrow, so I need some snacks.
G: Oh, I see.

where 어디 | convenience store 편의점 | fied trip 현장 학습 | snack 간식
TIPS 남자 아이는 내일 학교 현장 학습(school field trip)에 가지고 갈 간식(snack)을 사러 편의점에 가는 중입니다.

15

다음 대화를 듣고, 남자가 어제 집에 있었던 이유를 고르시오. ·················· (   )

① 강아지를 돌봐야 해서
② 어머니를 도와 줘야 해서
③ 숙제를 해야 해서
④ 동생을 돌봐야 해서

W: Did you go to the movies yesterday?

M: No. I _____ _____ all day.

W: Why did you stay home?

M: My puppies _____ _____.
   I had to take care of them.

movie 영화 | yesterday 어제 | stay 머무르다 | all day 하루 종일 | puppy 강아지 | sick 아픈 | take care of ~을 돌보다

TIPS have to는 '~ 해야 한다'라는 의미이며 과거형은 had to입니다.
take care of them에서 them은 my puppies를 의미합니다.

16

다음 대화를 듣고, 여자 아이가 먹을 음식을 고르시오. ·················· (   )

① APPLE JUICE
②
③
④

M: Would you like _____ _____?

G: Yes, please.

M: What would you like to have?

G: _____ _____, please.

dessert 디저트 | ice cream 아이스크림

TIPS 문장에 please를 붙이면 공손한 표현이 됩니다.

17

다음 대화를 듣고, 두 사람이 만날 시각을 고르시오. ·················· (   )

① 4시 30분   ② 6시 20분
③ 6시 30분   ④ 6시 50분

M: I'm going to the shopping mall this evening.

W: Are you?
   _____ _____ there together.

M: Sounds good.
   _____ _____ shall we meet?

W: Well, it's 2:30 p.m. now. Then, how about meeting
   at _____ p.m. at the subway station?

M: Okay. See you then.

evening 저녁 | together 함께 | meet 만나다 | subway station 지하철역

TIPS It's 2:30 p.m. now.처럼 시각을 나타낼 때에는 it을 사용하며, 이때 it은 '그것'이라고 해석하지 않습니다.

18

다음을 듣고, 질문에 대한 대답으로 알맞지 않은 것을 고르시오. ·········· (   )

G _____

①   ②   ③   ④

B: _____ _____ going to the zoo tomorrow?

G: ❶ I'm sorry, but I can't.

❷ We go to the zoo _____ _____.

❸ That's a _____ _____.

❹ I'd like to, but I have to help my mom.

zoo 동물원 | tomorrow 내일 | by bus 버스로 | idea 생각 | help 돕다

TIPS How about ~?은 상대방에게 뭔가를 제안할 때 사용하는 표현으로, 제안에 찬성하는 That's a good idea.와 제안을 받아들일 수 없는 I'm sorry, but I can't. / I'd like to, but I have to help my mom.이 대답으로 올 수 있습니다.

19

다음을 듣고, 이어질 말로 알맞은 것을 고르시오. ·········· (   )

M _____

①   ②   ③   ④

W: _____ _____ sisters do you have?

M: ❶ I don't have _____ _____.

❷ I love my brothers.

❸ My brother likes playing soccer.

❹ I have two older sisters.

sister 여자 형제 | any 조금도 | love 사랑하다 | soccer 축구 | older sister 누나

TIPS any는 부정문과 의문문에 사용합니다.

20

다음 대화를 듣고, 이어질 말로 알맞은 것을 고르시오. ·········· (   )

M _____

① Here you are.
② Two sodas, please.
③ Thank you very much.
④ I don't have money now.

W: Can I help you?

M: Two _____, please.

W: What would you like _____ _____?

M: _____

hamburger 햄버거 | drink 마시다

TIPS Here you are.는 '여기 있습니다.' 라는 의미로 물건을 건넬 때 사용하는 표현입니다.

10 ^회 Word Check

● 다음 들려주는 단어의 의미를 쓰세요.

	단어	의미
01	already	이미, 벌써
02	drinking	
03	smoking	
04	garden	
05	water	
06	favorite	
07	cook	
08	ready	
09	woman	
10	clock	
11	bookcase	
12	there	
13	snack	
14	movie	
15	dessert	

● 앞에 모의고사에 나오는 문장들을 잘 듣고, 빈칸을 완성하세요.

01 It's time to ___go___ ___to___ ___bed___.

02 I got an A on my _____ _____.

03 _____ _____ you!

04 She is _____ _____.

05 What is your _____ _____?

06 Dinner will be _____ _____.

07 I want to buy _____ _____ for my mom.

08 There are many books _____ _____ _____.

09 That's _____ _____.

10 _____ _____ is your party?

11 I'm going to the _____ _____.

12 I stayed home _____ _____.

13 I had to _____ _____ _____ my puppies.

14 _____ _____ there together.

15 We go to the zoo _____ _____.

보통 속도 빠른 속도

| 학습일 | 월 일 | 부모님 확인 | 점수 |

1

다음을 듣고, 들려주는 단어와 일치하는 그림을 고르시오. ·················· (　　　)

①

②

③

④

2

다음을 듣고, 동물을 나타내는 말이 아닌 것을 고르시오. ·················· (　　　)

①　　　　②　　　　③　　　　④

3

다음 대화를 듣고, 남자 아이가 가장 좋아하는 운동을 고르시오. ·················· (　　　)

①

②

③

④

4

다음 대화를 듣고, 대화에 알맞은 그림을 고르시오. ····························· (　　　)

①

②

③

④

5

다음 그림을 보고, 여자가 할 말로 알맞은 것을 고르시오. ·················· (　　　)

① ② ③ ④

6

다음 대화를 듣고, 남자 아이가 주말에 한 일을 고르시오. ·················· (　　　)

① 숙제 　　　　② 쇼핑
③ 시험공부 　　　④ 산책

7

다음을 듣고, Alice의 모습을 고르시오.
·················· (　　　)

① 　　②

③ 　　④

8

다음을 듣고, 무엇에 관한 설명인지 고르시오.
·················· (　　　)

① 　　②

③ ④

9

다음 대화를 듣고, 대화가 자연스럽지 않은 것을 고르시오. ·················· (　　　)

① ② ③ ④

10

다음 대화를 듣고, 여자가 산 물건과 개수가 바르게 짝지어진 것을 고르시오. …… (   )

	오이	당근
①	5	3
②	4	3
③	3	5
④	6	2

11

다음을 듣고, 상대방을 격려하는 표현을 고르시오. ……………………………… (   )

①   ②   ③   ④

12

다음 그림을 보고, 아이가 할 말로 알맞은 것을 고르시오. ……………………… (   )

①   ②   ③   ④

13

다음 대화를 듣고, 남자 아이가 있는 장소를 고르시오. ………………………… (   )

① 놀이공원   ② 동물원

③ 식물원   ④ 박물관

14

다음 대화를 듣고, 남자가 저녁 식사 후에 하는 일을 고르시오. ……………………… (   )

① 수영   ② 축구 경기
③ TV 시청   ④ 컴퓨터 게임

15

다음 대화를 듣고, 오늘의 날씨를 고르시오.
……………………………………… (   )

①      ②

③      ④

16

다음 대화를 듣고, 남자 아이의 장래 희망을 고르시오. ·························· ( )

① 소방관   ② 배우
③ 가수   ④ 요리사

17

다음 대화를 듣고, 휴대전화기가 있는 곳을 고르시오. ·························· ( )

① 
②

③ 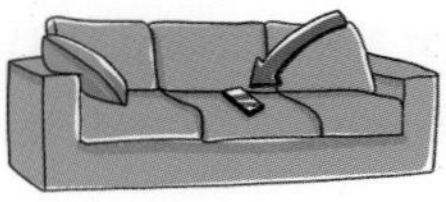
④

18

다음을 듣고, 이어질 말로 알맞은 것을 고르시오. ·························· ( )

M _____

①   ②   ③   ④

19

다음을 듣고, 이어질 말로 알맞은 것을 고르시오. ·························· ( )

W _____

①   ②   ③   ④

20

다음 대화를 듣고, 이어질 말로 알맞은 것을 고르시오. ·························· ( )

B _____

① We will go by plane.
② We will stay at a hotel.
③ I will study English.
④ We will stay there for two weeks.

11회 Dictation 영어 듣기 모의고사

| 학습일 | 월   일 | 부모님 확인 | 점수 |

● 잘 듣고, 빈칸에 알맞은 말을 쓰세요.

1

다음을 듣고, 들려주는 단어와 일치하는 그림을 고르시오. ·················· (   )

① ② ③ ④

W: _____

shorts 반바지

2

다음을 듣고, 동물을 나타내는 말이 <u>아닌</u> 것을 고르시오. ·················· (   )

① ② ③ ④

W: ❶ _____
❷ cow
❸ _____
❹ bear

tiger 호랑이 | cow 소 | tree 나무 | bear 곰

3

다음 대화를 듣고, 남자 아이가 가장 좋아하는 운동을 고르시오. ·················· (   )

① ② ③ ④

G: What's your favorite sport?
B: I love _____. How about you?
G: I _____ _____ best.
   It's very exciting.

favorite 좋아하는 | sport 스포츠, 운동 | baseball 야구 | best 가장 | exciting 신이 난

TIPS 동사 ski에 -ing를 붙여 skiing이 되었으며, I like skiing.은 '나는 스키 타는 것을 좋아해.' 라는 의미입니다.

4

다음 대화를 듣고, 대화에 알맞은 그림을 고르시오. ····················· (   )

① ② 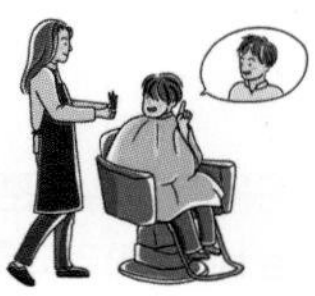 ③  ④

W: Can I help you?

B: Yes, I'd like to _____ this book.

W: Do you have a _____ _____?

B: Yes, here you are.

would like to ~하고 싶다 | borrow 빌리다 | library card 도서관 카드 | here you are 여기 있다

TIPS borrow this book, library card의 의미를 알 수 있으면 쉽게 정답을 알 수 있습니다.

5

다음 그림을 보고, 여자가 할 말로 알맞은 것을 고르시오. ····················· (   )

① ② ③ ④

W: ❶ Look at _____ _____.
You can't eat here.

❷ Look at this sign. You can't park here.

❸ Look at this sign. You can't make a call here.

❹ Look at this sign.
You can't _____ _____ here.

sign 표시 | here 여기에서 | park 주차하다 | make a call 전화하다 | take pictures 사진 찍다

TIPS make a call은 '전화하다', take pictures는 '사진 찍다'라는 의미입니다.

6

다음 대화를 듣고, 남자 아이가 주말에 한 일을 고르시오. ····················· (   )

① 숙제   ② 쇼핑
③ 시험공부   ④ 산책

B: How was your weekend, Julie?

G: It was _____ _____.

B: What did you do?

G: I went shopping. I bought new shoes.
How about you?

B: I _____ home and _____ for the test.

weekend 주말 | pretty 꽤 | shoes 신발 | stay 머무르다 | test 시험

TIPS study for the test는 '시험공부를 하다'라는 의미입니다.

7

다음을 듣고, Alice의 모습을 고르시오.
·······························(   )

①   ②

③   ④

W: Alice is my sister.
    She is wearing a _____ _____.
    She is wearing _____, too.

wear 입다, 쓰다 | **dress** 원피스 | **glasses** 안경

TIPS 동사 wear는 '옷을 입고 있다, 장식물 등을 몸의 일부분에 차고 있다'라는 의미로 사용합니다. '턱 수염을 기르다'(wear a beard)라고 할 때에도 wear를 사용합니다.

8

다음을 듣고, 무엇에 관한 설명인지 고르시오.
·······························(   )

①   ②

③   ④

M: I am very big. I have a _____
    _____ and big ears.
    I have _____ _____.
    I live in Asia or Africa.

big 큰 | **nose** 코 | **ear** 귀 | **leg** 다리 | **live in** ~에 살다

TIPS 뱀은 다리가 없고, 타조는 다리가 두 개입니다. 원숭이는 코가 길지 않고, 귀도 크지 않습니다.

9

다음 대화를 듣고, 대화가 자연스럽지 않은 것을 고르시오. ·····················(   )

①   ②   ③   ④

❶ M: What _____ of movie do you like?
    W: I like action movies.
❷ M: What is your name?
    W: I'm Julia Roberts.
❸ M: Can you play the guitar?
    W: No, I can't.
❹ M: _____ is your bag?
    W: It's not _____ _____.

kind 종류 | **movie** 영화 | **action movie** 액션 영화 | **guitar** 기타 | **bag** 가방

TIPS Where is your bag?으로 물으면 It's on the desk.(책상 위에 있어.)처럼 가방이 있는 곳을 답해야 합니다.

10

다음 대화를 듣고, 여자가 산 물건과 개수가 바르게 짝지어진 것을 고르시오. …… (   )

	오이	당근
①	5	3
②	4	3
③	3	5
④	6	2

M: May I help you?

W: Yes, I want some _____ and _____.

M: We have very fresh cucumbers and carrots.

W: I need _____ cucumbers and _____ carrots. How much are they?

M: They are 5 dollars.

cucumber 오이 | carrot 당근 | fresh 신선한 | need 필요하다 | how much (가격) 얼마

TIPS some 다음에는 복수명사나 셀 수 없는 명사가 와야 합니다.
some cucumber (x)   some cucumbers (o)

11

다음을 듣고, 상대방을 격려하는 표현을 고르시오. ················· (   )

①   ②   ③   ④

M: ❶ It's very delicious.

❷ _____ _____.

❸ Thank you very much.

❹ _____ _____. You'll do well.

delicious 맛있는 | sound ~인 거 같다 | much 무척 | worry 걱정하다

TIPS It's very delicious.는 음식의 맛을 평가할 때, Thank you very much.는 감사의 마음을 전할 때 사용합니다.

12

다음 그림을 보고, 아이가 할 말로 알맞은 것을 고르시오. ················· (   )

①   ②   ③   ④

B: ❶ Let's sing together.

❷ May I borrow your baseball cap?

❸ Pass me _____ _____.

❹ Please pass me _____ _____.

together 함께 | borrow 빌리다 | baseball cap 야구모자 | pass 전달하다 | ball 공 | salt 소금

TIPS 그림에 아이들이 공을 가지고 있으므로, 이와 관련된 표현을 아는 것이 문제 해결의 열쇠입니다. Please pass me the salt.(소금 좀 내게 건네줘.)는 식사 중에 할 수 있는 표현입니다.

13

다음 대화를 듣고, 남자 아이가 있는 장소를 고르시오. ················· (   )

① 놀이공원   ② 동물원
③ 식물원   ④ 박물관

W: David, do you like this amusement park?

B: I love _____ _____.

W: Why do you like this park?

B: There are a lot of rides, like _____ _____, the Viking boat, and the merry-go-round.

amusement park 놀이공원 | place 장소 | a lot of 많은 | ride 탈것 | merry-go-round 회전목마

TIPS amusement park, a lot of rides, roller coasters, the merry-go-round 등의 표현이 문제 해결의 열쇠입니다.

14

다음 대화를 듣고, 남자가 저녁 식사 후에 하는 일을 고르시오. ·············· (   )

① 수영
② 축구 경기
③ TV 시청
④ 컴퓨터 게임

M: What time do you have dinner?

W: I have dinner at 6:30.

After dinner, I usually _____ TV.

What do you do after dinner?

M: I have _____ _____ at 8.

dinner 저녁(식사) | **usually** 보통 | **lesson** 수업

TIPS 남자는 8시에 수영 수업이 있다고 말하고 있습니다.

15

다음 대화를 듣고, 오늘의 날씨를 고르시오.
·································· (   )

① ② ③ ④

W: Paul, you have to _____ to school today.

B: Why, Mom?

W: It's _____ outside.

B: Oh, really?

W: Yes. Riding a bike in the snow is very

_____.

walk 걷다 | **snow** 눈이 오다 | **outside** 밖에 | **really** 정말 | **dangerous** 위험한

TIPS It's snowing outside.를 들었다면 쉽게 문제를 풀 수 있습니다.

16

다음 대화를 듣고, 남자 아이의 장래 희망을 고르시오. ·············· (   )

① 소방관
② 배우
③ 가수
④ 요리사

G: What a great concert!

B: Right. She is a great singer.

G: I want to be _____ _____ like her. How about you? What do you want to be?

B: I want to be _____ _____. I like to cook.

concert 콘서트 | **great** 훌륭한 | **singer** 가수 | **chef** 요리사 | **cook** 요리하다

TIPS chef가 '요리사'라는 의미를 몰라도 I like to cook.의 의미를 안다면 문제를 풀 수 있습니다. I like to cook. 대신 I like cooking.이라고 할 수도 있습니다.

17

다음 대화를 듣고, 휴대전화기가 있는 곳을 고르시오. ·· (   )

① ② ③ ④

M: What are you doing, Jennie?

G: I'm _____ _____ my cellphone. Have you seen it?

M: Yes. I saw it _____ _____ _____ a few minutes ago.

G: Thanks, Dad.

cellphone 휴대전화 | saw 보다(see)의 과거형 | minute 분 | ago 전에

TIPS on the sofa는 '소파 위에', under the sofa는 '소파 밑에'를 의미하며, saw는 see의 과거형으로 발음에 유의해야 합니다.

18

다음을 듣고, 이어질 말로 알맞은 것을 고르시오. ·· (   )

M _____

①   ②   ③   ④

W: _____ some more cake.

M: ❶ It's not my cake.

  ❷ _____ _____.

  ❸ I'm sorry, but I can't cook.

  ❹ I don't like pizza.

cake 케이크 | sorry 미안한 | pizza 피자

TIPS Have some more cake.(케이크 더 먹어라.)에는 No, thank you. I'm full. 또는 Thank you.라고 답할 수 있습니다.

19

다음을 듣고, 이어질 말로 알맞은 것을 고르시오. ·· (   )

W _____

①   ②   ③   ④

M: _____ are you eating, Jane?

W: ❶ I don't have any cookies.

  ❷ No, thank you. I'm on a diet.

  ❸ _____ _____ chocolate cookies.

  ❹ I'm going to the market.

cookie 쿠키 | on a diet 다이어트 중 | chocolate 초콜릿 | market 시장

TIPS 현재진행형으로 묻고 있으므로 대답도 현재진행형으로 해야 합니다.

20

다음 대화를 듣고, 이어질 말로 알맞은 것을 고르시오. ·· (   )

B _____

① We will go by plane.
② We will stay at a hotel.
③ I will study English.
④ We will stay there for two weeks.

G: Are you going to Canada for _____ _____?

B: Yes, I'll go there with my parents.

G: _____ _____ are you going to stay there?

B: _____

summer vacation 여름방학 | parents 부모 | how long 얼마나 오래 | stay 머무르다

TIPS How long ~?은 기간이나, 길이를 물을 때 사용하는 표현입니다. 이 대화에서는 체류 기간을 묻는 것이므로 정답은 ④입니다.

Word Check

● 다음 들려주는 단어의 의미를 쓰세요.

단어	의미
01 exciting	신이 난
02 best	
03 sign	
04 pretty	
05 stay	
06 cucumber	
07 delicious	
08 worry	
09 together	
10 pass	
11 ride	
12 dangerous	
13 chef	
14 cellphone	
15 ago	

11 Sentence Check

● 앞에 모의고사에 나오는 문장들을 잘 듣고, 빈칸을 완성하세요.

01 I'd like to ___borrow___ ___this___ ___book___.

02 You can't _____ _____ here.

03 I _____ _____ and studied for the test.

04 I like _____ _____.

05 We have very _____ _____ and carrots.

06 _____ _____. You'll do well.

07 _____ _____ the ball.

08 There are _____ _____ _____ rides.

09 I have _____ _____ at 8.

10 It's _____ _____.

11 Riding a bike _____ _____ _____ is very dangerous.

12 _____ _____ great concert!

13 I saw it on the sofa _____ _____ _____ ago.

14 _____ some more _____.

15 I'm _____ _____ _____.

영어 듣기 모의고사

보통 속도

빠른 속도

학습일　　월　일　부모님 확인　　　　점수

1

다음을 듣고, 그림과 일치하는 낱말을 고르시오. ················ (　　　)

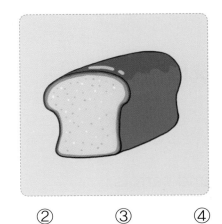

①　　　　②　　　　③　　　　④

2

다음을 듣고, 교통수단을 나타내는 말이 <u>아닌</u> 것을 고르시오. ··················· (　　　)

①　　　②　　　③　　　④

3

다음을 듣고, Tony의 모습을 고르시오. ···································· (　　　)

①　　②　

③　　④　

4

다음 대화를 듣고, 남자 아이가 주말에 한 일을 고르시오. ····························· (　　　)

①　　②　

③　　④　

5

다음 그림을 보고, 여자 아이가 할 말로 알맞은 것을 고르시오. ·························· (   )

①   ②   ③   ④

6

다음 대화를 듣고, 무엇에 관해 이야기하고 있는지 고르시오. ··················· (   )

① 숙제   ② 쇼핑
③ 시험 점수   ④ 산책

7

다음 대화를 듣고, 대화에 알맞은 그림을 고르시오. ···························· (   )

8

다음 대화를 듣고, 여자 아이가 좋아하는 음식을 고르시오. ························· (   )

9

다음 대화를 듣고, 대화가 자연스럽지 <u>않은</u> 것을 고르시오. ·················· (   )

①   ②   ③   ④

10

다음 대화를 듣고, 남자가 잠을 잘 못 잔 이유를 고르시오. ·············· (　　　)

① 운동을 해서　　　② 시험공부를 해서
③ 몸이 아파서　　　④ 나쁜 꿈을 꿔서

11

다음을 듣고, 상대방을 위로하는 표현을 고르시오. ····················· (　　　)

①　　　　②　　　　③　　　　④

12

다음 대화를 듣고, 두 사람이 만날 시각을 고르시오. ····················· (　　　)

① 1시　　　　② 2시
③ 3시　　　　④ 4시

13

다음 대화를 듣고, 남자 아이의 장래 희망을 고르시오. ····················· (　　　)

① 의사　　　　② 기타리스트
③ 피아니스트　　④ 선생님

14

다음 그림을 보고, 그림 설명이 올바른 것을 고르시오. ····················· (　　　)

①　　　　②　　　　③　　　　④

15

다음 대화를 듣고, 여자 아이가 준비한 생일 선물을 고르시오. ·············· (   )

①   ②

③   ④

16

다음 대화를 듣고, 남자 아이 삼촌의 직업을 고르시오. ······················ (   )

① 소방관   ② 배우
③ 가수   ④ 요리사

17

다음을 듣고, 내용과 일치하지 않는 것을 고르시오. ······················ (   )

① 이름은 David이다.
② 하와이에서 왔다.
③ 튀긴 닭을 좋아한다.
④ 수영하는 것을 좋아한다.

18

다음을 듣고, 이어질 말로 알맞은 것을 고르시오. ······················ (   )

M _____

①   ②   ③   ④

19

다음을 듣고, 이어질 말로 알맞은 것을 고르시오. ······················ (   )

W _____

①   ②   ③   ④

20

다음 대화를 듣고, 이어질 말로 알맞지 않은 것을 고르시오. ······················ (   )

M _____

① It was really exciting.
② I miss you so much.
③ Well, it was not bad.
④ It was fantastic.

● 잘 듣고, 빈칸에 알맞은 말을 쓰세요.

1

다음을 듣고, 그림과 일치하는 낱말을 고르시오. ···················· (　　)

① ②　③　④

W: ❶ candy

　　❷ _____

　　❸ rice

　　❹ _____

candy 사탕 | bread 빵 | rice 밥 | noodles 국수

2

다음을 듣고, 교통수단을 나타내는 말이 <u>아닌</u> 것을 고르시오. ·············· (　　)

①　②　③　④

M: ❶ _____

　　❷ taxi

　　❸ subway

　　❹ _____

bus 버스 | taxi 택시 | subway 지하철 | ticket 표

3

다음을 듣고, Tony의 모습을 고르시오.
···················· (　　)

①
②
③
④

G: Tony is my best friend. He's from Canada.

He is wearing a _____ T-shirt and

_____ _____. He has short hair.

best friend 가장 친한 친구 | wear 입다 | T-shirt 티셔츠 | pants 바지

TIPS 토니는 머리가 짧고, 하얀 셔츠와 파란색 바지를 입고 있다.

4

다음 대화를 듣고, 남자 아이가 주말에 한 일을 고르시오. ·········· (　　)

①  ②  ③  ④

G: What did you do last weekend?

B: I _____ _____ with my dad.

G: Do you like fishing?

B: Yes, I _____ go fishing with my dad.

last weekend 지난 주말 | fish 낚시하다 | sometimes 때때로

TIPS went는 go의 과거형입니다.
go fishing 낚시를 가다　go shopping 쇼핑을 가다　go camping 캠핑을 가다

5

다음 그림을 보고, 여자 아이가 할 말로 알맞은 것을 고르시오. ·········· (　　)

① ② ③ ④

G: ❶ It's my favorite food.

❷ Let's study together.

❸ It's going _____ _____ soon.

❹ Look at the _____ in the sky.

favorite 좋아하는 | food 음식 | together 함께 | soon 곧 | sky 하늘

TIPS [be going to + 동사원형]은 '~할 것이다'라는 의미로 가까운 미래에 일어날 일을 표현할 때 사용합니다. be going to rain은 '비가 올 것 같다'라는 의미입니다.

6

다음 대화를 듣고, 무엇에 관해 이야기하고 있는지 고르시오. ·········· (　　)

① 숙제　　　　② 쇼핑
③ 시험 점수　　④ 산책

B: What's wrong? You _____ _____.

G: I had an English test today.

B: How was _____ _____?

G: I got a C.

B: Cheer up! You will do _____ next time.

wrong 잘못된 | have a test 시험을 보다 | cheer up 기운 내다 | better 더 좋은

TIPS got은 get의 과거형으로 I got a C.는 '점수 C를 맞았다'는 의미입니다.
Cheer up!은 상대방을 위로할 때 사용합니다.

7

다음 대화를 듣고, 대화에 알맞은 그림을 고르시오. ·········· (　　)

①  ②  ③  ④

W: Can I _____ this dress _____?

M: Sure. The _____ room is over there.

try on 입어 보다 | dress 원피스 | fitting room 탈의실 | over there 저쪽

TIPS dress, fitting room이 문제 해결의 열쇠입니다.

8

다음 대화를 듣고, 여자 아이가 좋아하는 음식을 고르시오. ·············· (   )

① ② ③ ④

B: Do you like hamburgers?

G: No, I don't like _____ _____.

B: Then, what's your favorite food?

G: I like _____ _____.

hamburger 햄버거 | fast food 패스트푸드 | favorite 좋아하는 | fried rice 볶음밥

TIPS fried rice는 '볶음밥'이라는 의미입니다.

9

다음 대화를 듣고, 대화가 자연스럽지 <u>않은</u> 것을 고르시오. ·············· (   )

① ② ③ ④

❶ W: What kind of music do you like?

M: I like classical music.

❷ W: Can I have some coffee?

M: Sure. No problem.

❸ W: Did you make this cake?

M: No, I didn't.

❹ W: _____ _____ money do you have?

M: It's not _____ _____.

music 음악 | classical music 고전음악 | money 돈

TIPS How much money do you have? 질문에는 I have 5 dollars.(5달러 있어.) 나 I don't have any money.(돈이 하나도 없어.) 등으로 답합니다.

10

다음 대화를 듣고, 남자가 잠을 잘 못 잔 이유를 고르시오. ·············· (   )

① 운동을 해서　② 시험공부를 해서
③ 몸이 아파서　④ 나쁜 꿈을 꿔서

M: I'm tired and sleepy.

W: What happened, Mike?

M: I _____ _____ well last night.

W: Why?

M: I had a _____ _____.

tired 피곤한 | sleepy 졸린 | happen 일어나다 | have a dream 꿈을 꾸다

TIPS What happened? 대신 What happened to you?라고 표현할 수도 있습니다.

11

다음을 듣고, 상대방을 위로하는 표현을 고르시오. ·········· (　　)

①　　　②　　　③　　　④

M: ❶ Thank you for your time.

　　❷ You're ＿＿＿＿＿＿＿＿ ＿＿＿＿＿＿＿＿.

　　❸ Don't be sad. You will ＿＿＿＿＿＿＿＿ ＿＿＿＿＿＿＿＿ next time.

　　❹ I'm happy to see you again.

kind 친절한 | sad 슬픈 | better 더 좋은 | see 만나다 | again 다시

TIPS Thank you for your time.은 헤어질 때, You're so kind.는 친절에 감사할 때, I'm happy to see you again.는 누군가를 다시 만났을 때 할 수 있는 표현입니다.

12

다음 대화를 듣고, 두 사람이 만날 시각을 고르시오. ·········· (　　)

① 1시　　　② 2시
③ 3시　　　④ 4시

M: How about going to the swimming pool this afternoon?

W: Sounds good. ＿＿＿＿＿＿＿＿ ＿＿＿＿＿＿＿＿ shall we meet?

M: How about 4 o'clock?

W: That's ＿＿＿＿＿＿＿＿ ＿＿＿＿＿＿＿＿. Let's meet ＿＿＿＿＿＿＿＿ ＿＿＿＿＿＿＿＿ in front of the pool.

M: Okay.

swimming pool 수영장 | this afternoon 오늘 오후 | meet 만나다 | late 늦은 | in front of ~ 앞에

TIPS 여자가 수영장 앞에서 3시에 보자고 말하고 있습니다.

13

다음 대화를 듣고, 남자 아이의 장래 희망을 고르시오. ·········· (　　)

① 의사　　　② 기타리스트
③ 피아니스트　　　④ 선생님

G: What are you doing now?

B: I'm ＿＿＿＿＿＿＿＿ the guitar.

G: Do you like playing the guitar?

B: Yes, I want to be a famous ＿＿＿＿＿＿＿＿.

G: That's cool. I hope that your dream will ＿＿＿＿＿＿＿＿ ＿＿＿＿＿＿＿＿.

practice 연습하다 | guitar 기타 | famous 유명한 | guitarist 기타리스트 | cool 멋진 | dream 꿈 | come true 실현되다

TIPS 악기 이름에 -ist를 붙이면 그 악기를 연주하는 사람이 됩니다.
piano – pianist 피아니스트　　　guitar – guitarist 기타리스트
violin – violinist 바이올린 연주자

14

다음 그림을 보고, 그림 설명이 올바른 것을 고르시오. ·········· (   )

① ② ③ ④

W: ❶ A woman is reading a book.

❷ A man is _____ next to the table.

❸ A woman is _____ a cup.

❹ A man is wearing _____.

read 읽다 | stand 서 있다 | next to ~ 옆에 | hold 잡다 | glasses 안경

TIPS 여자는 손에 컵을 들고 있습니다. 따라서 hold a cup의 의미를 알아야 문제를 해결할 수 있습니다.

15

다음 대화를 듣고, 여자 아이가 준비한 생일 선물을 고르시오. ····················· (   )

①   ②

③    ④

B: What are you going to do tomorrow?

G: Tomorrow is my sister's _____.

We will have a party for her at home.

B: Did you buy a _____ for her?

G: Yes, I bought her a _____ _____.

tomorrow 내일 | birthday 생일 | party 파티 | present 선물 | teddy bear 곰 인형

TIPS teddy bear는 '곰 인형'이란 의미입니다.

16

다음 대화를 듣고, 남자 아이 삼촌의 직업을 고르시오. ·········· (   )

① 소방관   ② 배우
③ 가수   ④ 요리사

G: Who is that man over there?

B: He's my uncle.

G: He's very handsome.

Is he _____ _____?

B: No, he's a _____.

over there 저쪽에 | uncle 삼촌 | handsome 잘생긴 | actor 배우 | firefighter 소방관

TIPS 이외에도 직업 관련 표현으로는 nurse(간호사), police office(경찰관), lawyer (변호사), taxi driver(택시 운전사), cook(요리사), singer(가수) 등이 있습니다.

17

다음을 듣고, 내용과 일치하지 <u>않는</u> 것을 고르시오. ·················· (　　)

① 이름은 David이다.
② 하와이에서 왔다.
③ 튀긴 닭을 좋아한다.
④ 수영하는 것을 좋아한다.

B: Hello, everyone.
　 My name is David. I'm from Hawaii.
　 I'm twelve years old. I like _____.
　 My favorite food is _____ _____.

everyone 모두 | swim 수영하다 | fried rice 볶음밥

TIPS 남자 아이의 이름은 David, 출신지는 하와이, 나이는 12살, 좋아하는 음식은 볶음밥입니다.

18

다음을 듣고, 이어질 말로 알맞은 것을 고르시오. ·················· (　　)

M _____

①　　　②　　　③　　　④

W: _____ _____ _____
　 your phone?
M: ❶ Good night.
　 ❷ Sure. It's _____ _____
　 　 _____.
　 ❸ Okay. Let's go.
　 ❹ My pleasure.

phone 전화기 | night 밤 | pleasure 즐거움

TIPS Sure.는 '그럼요.'라는 의미로 yes와 같은 의미입니다.
It's on the desk.에서 it은 phone을 의미합니다.

19

다음을 듣고, 이어질 말로 알맞은 것을 고르시오. ·················· (　　)

W _____

①　　　②　　　③　　　④

M: _____ is the woman in the picture?
W: ❶ Yes, I love her.
　 ❷ She's _____ _____.
　 ❸ It's sunny today.
　 ❹ She lives in Paris.

woman 여자 | picture 사진 | sunny 맑은 | live in ~에 살다

TIPS Who는 '누구'라는 의미로 어떤 사람에 대해 정보를 알고 싶을 때 사용합니다.

20

다음 대화를 듣고, 이어질 말로 알맞지 <u>않은</u> 것을 고르시오. ·················· (　　)

M _____

① It was really exciting.
② I miss you so much.
③ Well, it was not bad.
④ It was fantastic.

W: Did you go to the _____ last night?
M: Yes, I did.
W: _____ _____ it?
M: _____

concert 콘서트 | last night 지난밤 | exciting 신나는 | miss 그리워하다 |
fantastic 환상적인

TIPS How was it?은 '콘서트가 어땠어?'라는 의미이며, it은 the concert를 대신해 쓰인 대명사입니다. 과거형으로 물었으므로 대답도 과거형으로 해야 합니다.
I miss you so much.(나는 네가 너무 보고 싶어.)는 올바른 대답이 될 수 없습니다.

● 다음 들려주는 단어의 의미를 쓰세요.

	단어	의미
01	rice	밥
02	subway	
03	favorite	
04	sometimes	
05	better	
06	hamburger	
07	hold	
08	sleepy	
09	happen	
10	again	
11	famous	
12	guitarist	
13	dream	
14	pleasure	
15	classical music	

12 Sentence Check

● 앞에 모의고사에 나오는 문장들을 잘 듣고, 빈칸을 완성하세요.

01 Tony is my ___best___ ___friend___.

02 I sometimes _____ _____ with my dad.

03 Look at the bird _____ _____ _____.

04 _____ _____?

05 You will _____ _____ next time.

06 The fitting room is _____ _____.

07 I like _____ _____.

08 I had a _____ _____.

09 I'm _____ _____ see you again.

10 Let's meet at 3 _____ _____ _____ the pool.

11 I want to be a _____ _____.

12 I hope that your dream will _____ _____.

13 A woman is _____ _____ _____.

14 Tomorrow is my sister's _____.

15 It was _____ _____.

보통 속도

빠른 속도

학습일   월   일   부모님 확인   점수

1

다음을 듣고, 그림과 일치하는 낱말을 고르시오. ·························· (   )

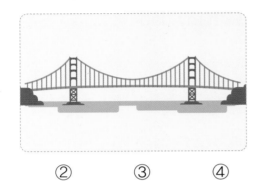

①   ②   ③   ④

3

다음 대화를 듣고, 여자 아이가 기르는 반려동물을 고르시오. ·················· (   )

①    ②

③    ④

4

다음 대화를 듣고, 남자 아이가 하고 있는 것을 고르시오. ···························· (   )

①    ②

③    ④

2

다음을 듣고, 장소를 나타내는 말이 <u>아닌</u> 것을 고르시오. ························· (   )

①   ②   ③   ④

5

다음 그림을 보고, 여자가 할 말로 알맞은 것을 고르시오. ·········· (   )

①   ②   ③   ④

6

다음 대화를 듣고, 무엇에 관해 이야기하고 있는지 고르시오. ·········· (   )

① 좋아하는 운동   ② 좋아하는 과목

③ 좋아하는 음악   ④ 좋아하는 과일

7

다음 대화를 듣고, 오늘의 날씨를 고르시오. ·········· (   )

①    ②

③    ④

8

다음 대화를 듣고, 여자가 좋아하는 운동을 고르시오. ·········· (   )

①    ②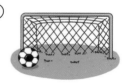

③    ④

9

다음 대화를 듣고, 대화가 자연스럽지 <u>않은</u> 것을 고르시오. ·········· (   )

①   ②   ③   ④

10

다음 대화를 듣고, 남자가 여름을 좋아하는 이유를 고르시오. ·················· (　　　)

① 캠핑을 갈 수 있어서
② 수영을 할 수 있어서
③ 휴가를 갈 수 있어서
④ 바다에서 낚시를 할 수 있어서

11

다음을 듣고, 감사의 표현을 고르시오.
·································· (　　　)

①　　　　②　　　　③　　　　④

12

다음 대화를 듣고, 여자가 시장에서 산 물건과 개수를 고르시오. ··········· (　　　)

	물건	개수
①	감자	5
②	당근	5
③	사과	4
④	배	5

13

다음 대화를 듣고, 여자 아이가 지난 주말에 한 일을 고르시오. ··········· (　　　)

① 공부하기　　　② 요리하기
③ 영화 보기　　　④ 소풍 가기

14

다음 그림을 보고, 의사가 할 말로 알맞은 것을 고르시오. ·················· (　　　)

①　　　　②　　　　③　　　　④

15

다음 대화를 듣고, 두 사람이 있는 장소를 고르시오. ·················· (　　　)

① 꽃 가게　　　② 학교
③ 병원　　　　④ 옷 가게

16

다음 대화를 듣고, 남자가 가려는 은행의 위치를 고르시오. ·························· (   )

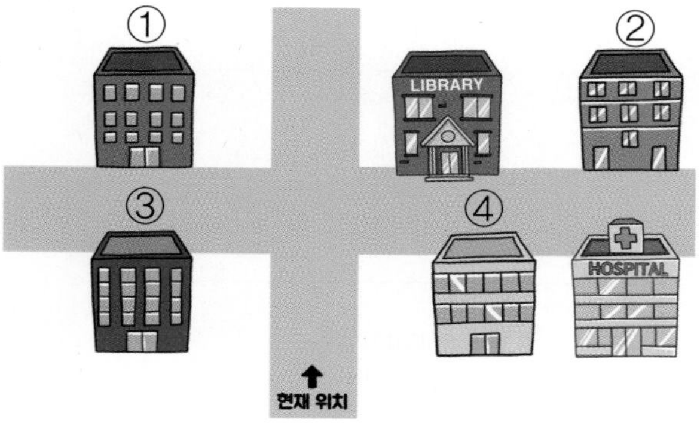

① 　　　② 　　　③ 　　　④

17

다음 대화를 듣고, 오늘이 무슨 요일인지 고르시오. ·························· (   )

① 월요일 　　　② 수요일
③ 목요일 　　　④ 금요일

18

다음을 듣고, 이어질 말로 알맞은 것을 고르시오. ·························· (   )

M _____

① 　　　② 　　　③ 　　　④

19

다음을 듣고, 이어질 말로 알맞은 것을 고르시오. ·························· (   )

G _____

① 　　　② 　　　③ 　　　④

20

다음을 듣고, 이어질 말로 알맞은 것을 고르시오. ·························· (   )

M _____

① It was really fun.
② I'd love to, but I don't have a ticket
③ I like listening to music.
④ How about you?

13 ^회 Dictation 영어 듣기 모의고사

| 학습일 | 월　일 | 부모님 확인 | 점수 |

● 잘 듣고, 빈칸에 알맞은 말을 쓰세요.

1

다음을 듣고, 그림과 일치하는 낱말을 고르시오. ·········· (　　)

① 　② 　③ 　④

W: ❶ _____
　❷ airport
　❸ station
　❹ _____

bridge 다리 | airport 공항 | station 역 | museum 박물관

2

다음을 듣고, 장소를 나타내는 말이 <u>아닌</u> 것을 고르시오. ·············· (　　)

① 　② 　③ 　④

M: ❶ school
　❷ _____
　❸ museum
　❹ _____

school 학교 | hospital 병원 | museum 박물관 | science 과학

3

다음 대화를 듣고, 여자 아이가 기르는 반려동물을 고르시오. ·············· (　　)

① 　②

③ 　④

B: Do you have any pets?

G: Yes, I have a _____.

B: What color is it?

G: It's _____.

pet 반려동물 | color 색 | white 하얀

TIPS cat(고양이), white(하얀)를 들었다면 쉽게 풀 수 있는 문제입니다.

4

다음 대화를 듣고, 남자 아이가 하고 있는 것을 고르시오. ·················· (　　)

① ②  ③  ④

G: What are you doing, Kevin?

B: I'm _____ my room.

G: Really?

B: Yes, I sometimes clean _____

_____ by myself.

clean 청소하다 | room 방 | really 정말 | sometimes 때때로 | by myself 혼자서

TIPS 현재진행형(be동사 + -ing)으로 물으면 현재진행형으로 대답합니다.

5

다음 그림을 보고, 여자가 할 말로 알맞은 것을 고르시오. ·················· (　　)

① ② ③ ④

W: ❶ How _____ you are!

❷ What nice weather!

❸ How tall you are!

❹ What _____ flowers!

strong 강한 | weather 날씨 | beautiful 아름다운 | flower 꽃

TIPS 감탄문은 [What + (a/an) + 형용사 + 명사 + 주어 + 동사!] 또는 [How + 형용사/부사 + 주어+ 동사!]의 형태가 됩니다.

6

다음 대화를 듣고, 무엇에 관해 이야기하고 있는지 고르시오. ·················· (　　)

① 좋아하는 운동　　② 좋아하는 과목
③ 좋아하는 음악　　④ 좋아하는 과일

B: What's your favorite _____?

G: I like science. How about you?

B: I like _____.

G: Why do you like music?

B: I like singing.

favorite 좋아하는 | subject 과목 | science 과학 | music 음악

TIPS favorite subject는 '좋아하는 과목'이란 의미입니다.
학교 과목: math 수학, history 역사, physical education 체육, art 미술

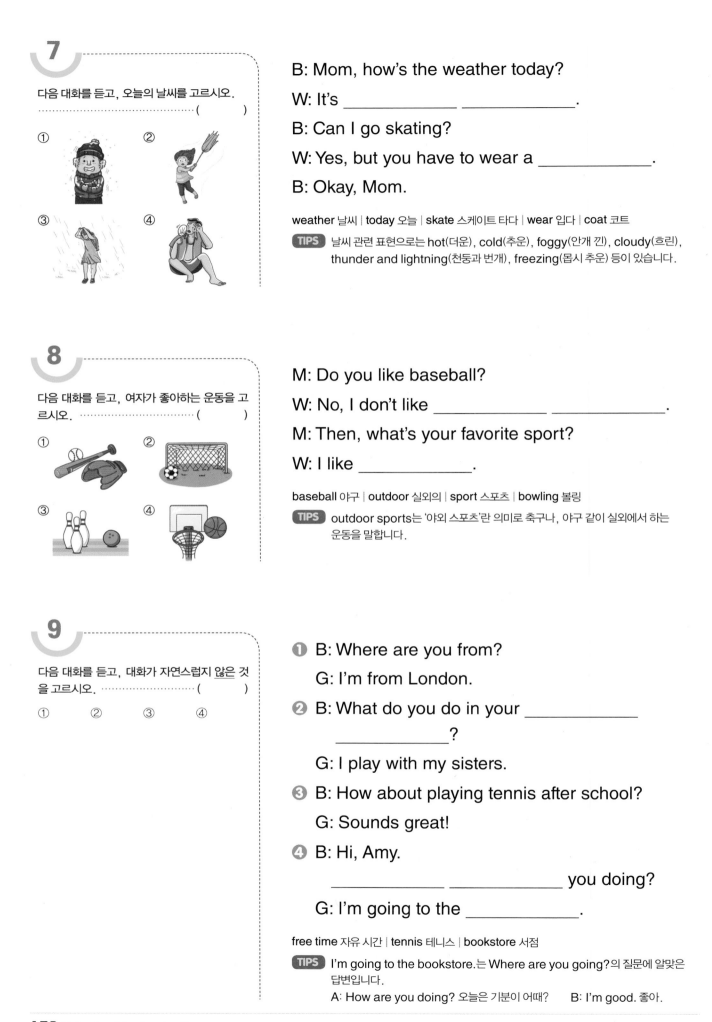

7

다음 대화를 듣고, 오늘의 날씨를 고르시오.
································· (   )

① ② ③ ④

B: Mom, how's the weather today?

W: It's _____ _____.

B: Can I go skating?

W: Yes, but you have to wear a _____.

B: Okay, Mom.

weather 날씨 | today 오늘 | skate 스케이트 타다 | wear 입다 | coat 코트

TIPS 날씨 관련 표현으로는 hot(더운), cold(추운), foggy(안개 낀), cloudy(흐린), thunder and lightning(천둥과 번개), freezing(몹시 추운) 등이 있습니다.

8

다음 대화를 듣고, 여자가 좋아하는 운동을 고르시오. ················· (   )

① ② ③ ④

M: Do you like baseball?

W: No, I don't like _____ _____.

M: Then, what's your favorite sport?

W: I like _____.

baseball 야구 | outdoor 실외의 | sport 스포츠 | bowling 볼링

TIPS outdoor sports는 '야외 스포츠'란 의미로 축구나, 야구 같이 실외에서 하는 운동을 말합니다.

9

다음 대화를 듣고, 대화가 자연스럽지 않은 것을 고르시오. ················· (   )

① ② ③ ④

❶ B: Where are you from?

　 G: I'm from London.

❷ B: What do you do in your _____ _____?

　 G: I play with my sisters.

❸ B: How about playing tennis after school?

　 G: Sounds great!

❹ B: Hi, Amy.

　 _____ _____ you doing?

　 G: I'm going to the _____.

free time 자유 시간 | tennis 테니스 | bookstore 서점

TIPS I'm going to the bookstore.는 Where are you going?의 질문에 알맞은 답변입니다.

A: How are you doing? 오늘은 기분이 어때?　　B: I'm good. 좋아.

10

다음 대화를 듣고, 남자가 여름을 좋아하는 이유를 고르시오. ·················· (   )

① 캠핑을 갈 수 있어서
② 수영을 할 수 있어서
③ 휴가를 갈 수 있어서
④ 바다에서 낚시를 할 수 있어서

W: What's your favorite season?

M: I like _____ best.

W: Why?

M: I _____ _____ in the sea when it is hot.

season 계절 | summer 여름 | best 가장 | sea 바다 | hot 더운

TIPS swimming은 '수영하는 것'이라고 해석합니다. I like swimming in the sea. 대신 I like to swim in the sea.라고 할 수도 있습니다.

11

다음을 듣고, 감사의 표현을 고르시오.
·················· (   )

①   ②   ③   ④

M: ❶ You're welcome.

❷ Thank you for your _____.

❸ Don't be _____.

❹ They are lovely.

welcome 환영받는 | kindness 친절 | sad 슬픈 | lovely 사랑스러운

TIPS Thanks for your kindness.(친절에 감사해요.)에 대한 대답으로는 You're welcome.(천만에요.)이 어울립니다.

12

다음 대화를 듣고, 여자가 시장에서 산 물건과 개수를 고르시오. ·············· (   )

	물건	개수
①	감자	5
②	당근	5
③	사과	4
④	배	5

M: What did you buy at the market?

W: I bought _____ _____.

M: How many potatoes did you buy?

W: I bought _____.
They are very _____.

buy 사다 | market 시장 | bought 사다(buy)의 과거형 | potato 감자 | fresh 신선한

TIPS potato의 복수형에는 −es를 붙입니다.

13

다음 대화를 듣고, 여자 아이가 지난 주말에 한 일을 고르시오. ·············· (   )

① 공부하기   ② 요리하기
③ 영화 보기   ④ 소풍 가기

G: Mike, how was your weekend?

B: It was great. How about you?

G: I had a good time with _____ _____.

B: What did you do?

G: I went to _____ _____ with my parents.

weekend 주말 | great 멋진 | family 가족 | movie 영화 | parents 부모

TIPS go to the movies는 '영화 보러 가다'라는 의미로, 이때 movie는 복수형이 되어야 합니다.

14

다음 그림을 보고, 의사가 할 말로 알맞은 것을 고르시오. ·············· (　)

① 　　② 　　③ 　　④

M: ❶ Wake up, please.

　 ❷ Do you like reading?

　 ❸ You have a _____ _____.

　 ❹ Don't _____ that.

wake up 깨다 | cavity 충치 | touch 만지다

TIPS 치과에서 환자와 의사의 그림이므로 쉽게 정답을 알 수 있습니다.

15

다음 대화를 듣고, 두 사람이 있는 장소를 고르시오. ·············· (　)

① 꽃 가게　　　　② 학교

③ 병원　　　　　④ 옷 가게

W: May I help you?

M: I'm _____ _____ a shirt.

W: What size?

M: I need one in _____ _____.

W: How about this yellow shirt?

help 돕다 | look for ~을 찾다 | shirt 셔츠 | size 크기 | yellow 노란

TIPS shirt(셔츠), size(크기) 등을 통해서 옷 가게에 있다는 것을 알 수 있습니다.

16

다음 대화를 듣고, 남자가 가려는 은행의 위치를 고르시오. ·············· (　)

① 　　② 　　③ 　　④

M: Excuse me, how can I get to the bank?

W: Go _____ _____ and turn right.

M: Go one block and _____ _____?

W: Yes. It's on _____ _____, next to the library.

M: Okay. Thank you very much.

get to ~에 도착하다 | bank 은행 | block 블록 | right 오른쪽 | left 왼쪽 | next to ~ 옆에 | library 도서관

TIPS on your left는 '너의 왼쪽에', next to the library는 '도서관 옆에'라는 의미입니다.

17

다음 대화를 듣고, 오늘이 무슨 요일인지 고르시오. ········· (　　)

① 월요일　　　② 수요일
③ 목요일　　　④ 금요일

M: Where are you going?

W: I'm going to the _____ _____.

M: I thought you had swimming lessons on Monday.

W: I moved the lesson _____ _____.

M: Oh, I see.

swimming pool 수영장 | thought 생각하다(think)의 과거형 | lesson 수업 | move 옮기다

TIPS 원래 수영 강습이 월요일에 있었으나 금요일로 옮겼다는 대화입니다.

18

다음을 듣고, 이어질 말로 알맞은 것을 고르시오. ········· (　　)

M _____
① 　② 　③ 　④

W: Hi, Tony. _____ _____ my cousin, Amy.

M: ❶ This is not my pen.
　❷ Sure, you can.
　❸ Okay, I'm sorry.
　❹ Nice to _____ _____.

cousin 사촌 | pen 펜 | sorry 미안한 | meet 만나다

TIPS 대명사 this, that은 사물 이외에 사람을 가리킬 때에도 사용합니다. 이어질 말로는 처음 만날 때 하는 인사말이 어울립니다.

19

다음을 듣고, 이어질 말로 알맞은 것을 고르시오. ········· (　　)

G _____
① 　② 　③ 　④

B: _____ _____ do you have lunch?

G: ❶ Lunch time is 40 minutes.
　❷ I have sandwiches for lunch.
　❸ I eat lunch at the cafeteria.
　❹ I have lunch _____ _____.

time 시간 | lunch 점심(식사) | minute 분 | sandwich 샌드위치 | cafeteria 구내식당 | noon 정오

TIPS what time으로 물으면, 정확한 시각으로 대답해야 합니다. have는 '가지다' 외에 '먹다'라는 의미도 있습니다.

20

다음을 듣고, 이어질 말로 알맞은 것을 고르시오. ········· (　　)

M _____

① It was really fun.
② I'd love to, but I don't have a ticket
③ I like listening to music.
④ How about you?

W: I'm going to a K-pop concert on Saturday. _____ _____ like to come with me?

M: _____

concert 콘서트 | Saturday 토요일 | really 정말 | ticket 표

TIPS Would you like to come with me?는 '나와 같이 갈래?'라는 의미로 제안을 거절하는 대답과 수락하는 대답이 올 수 있습니다.

다음 들려주는 단어의 의미를 쓰세요.

단어	의미
01 bridge	다리
02 airport	
03 subject	
04 outdoor	
05 bowling	
06 bookstore	
07 season	
08 kindness	
09 lovely	
10 fresh	
11 cavity	
12 touch	
13 cousin	
14 cafeteria	
15 concert	

● 앞에 모의고사에 나오는 문장들을 잘 듣고, 빈칸을 완성하세요.

01 I sometimes clean my room _____ by _____ myself _____ .

02 _____ _____ you are!

03 You _____ _____ wear a coat.

04 I don't like _____ _____ .

05 What do you do in your _____ _____ ?

06 I _____ summer _____ .

07 Thank you for _____ _____ .

08 Don't _____ _____ .

09 I had a _____ _____ with my family.

10 I _____ _____ _____ _____ with my parents.

11 You have _____ _____ _____ .

12 May I _____ _____ ?

13 It's on your left, _____ _____ the library.

14 I moved the lesson _____ _____ .

15 I have lunch _____ _____ .

보통 속도 　빠른 속도

학습일　　월　일　부모님 확인　　　　　점수

1

다음을 듣고, 그림과 일치하는 낱말을 고르시오. ·····················(　　)

① 　　② 　　③ 　　④

2

다음을 듣고, 그림 설명이 올바른 것을 고르시오. ·····················(　　)

① 　　② 　　③ 　　④

3

다음을 듣고, 신체의 일부를 나타내는 낱말이 <u>아닌</u> 것을 고르시오. ···········(　　)

① 　　　② 　　　③ 　　　④

4

다음 대화를 듣고, 누구에 대해 말하고 있는지 고르시오. ·····················(　　)

① 남자의 누나　　② 남자의 여동생
③ 남자의 형　　　④ 여자의 삼촌

5

다음 그림을 보고, 여자가 할 말로 알맞은 것을 고르시오. ·····················(　　)

① 　　② 　　③ 　　④

6

다음 대화를 듣고, 삼촌의 모습으로 가장 알맞은 것을 고르시오. ····························· (   )

① 
② 
③ 
④

7

다음 대화를 듣고, 미나가 있는 장소를 고르시오. ······································ (   )

① 부엌　　　　　② 거실
③ 욕실　　　　　④ 침실

8

다음 대화를 듣고, 오늘이 무슨 요일인지 고르시오. ······································ (   )

① 월요일　　　　② 화요일
③ 목요일　　　　④ 금요일

9

다음 그림을 보고, 그림과 일치하는 대화를 고르시오. ····························· (   )

①　　②　　③　　④

10

다음 대화를 듣고, 대화가 자연스럽지 <u>않은</u> 것을 고르시오. ····························· (   )

①　　　②　　　③　　　④

11

다음 대화를 듣고, 남자의 가방을 고르시오.
·· (   )

①    ②

③    ④

14

다음 그림을 보고, 여자가 할 말로 알맞은 것을
고르시오. ·························· (   )

①   ②   ③   ④

12

다음을 듣고, 헤어질 때 하는 표현이 <u>아닌</u> 것을
고르시오. ·························· (   )

①   ②   ③   ④

13

다음 대화를 듣고, 두 사람이 오후에 갈 곳을
고르시오. ·························· (   )

① 수족관   ② 박물관
③ 도서관   ④ 해변

15

다음을 듣고, 식사할 때 할 수 있는 표현을 고
르시오. ·························· (   )

①   ②   ③   ④

16

다음 대화를 듣고, 남자 아이가 탁구를 할 수 없는 이유를 고르시오. …………… (   )

① 숙제를 해야 해서
② 치과에 가야 해서
③ 감기에 걸려서
④ 엄마를 도와줘야 해서

17

다음 대화를 듣고, 남자가 어젯밤에 한 일을 고르시오. ………………… (   )

① 축구 시합   ② 숙제
③ TV 시청   ④ 시험 공부

18

다음을 듣고, 이어질 말로 알맞은 것을 고르시오. ………………… (   )

W _____

①   ②   ③   ④

19

다음 대화를 듣고, 이어질 말로 알맞은 것을 고르시오. ………………… (   )

B _____

①   ②   ③   ④

20

다음을 듣고, 이어질 대답으로 알맞지 않은 것을 고르시오. ……………… (   )

W _____

① Not yet. What is today's special?
② I like science very much.
③ Can you wait for a minute?
④ Yes, I'd like a hamburger and some French fries.

| 학습일 | 월 | 일 | 부모님 확인 | | 점수 | |

● 잘 듣고, 빈칸에 알맞은 말을 쓰세요.

1

다음을 듣고, 그림과 일치하는 낱말을 고르시오. ················· (   )

① ② ③ ④

W: ❶ garden

❷ _____

❸ sunflower

❹ _____

garden 정원 | rose 장미 | sunflower 해바라기 | tree 나무

2

다음을 듣고, 그림 설명이 올바른 것을 고르시오. ················· (   )

① ② ③ ④

M: ❶ A woman is singing.

❷ A woman is _____.

❸ A woman is crying.

❹ A woman is _____.

sing 노래하다 | sleep 자다 | cry 울다 | cook 요리하다

TIPS 현재 진행되고 있는 동작을 말할 때는 [be동사 + -ing] 형태를 사용합니다.

3

다음을 듣고, 신체의 일부를 나타내는 낱말이 아닌 것을 고르시오. ················· (   )

① ② ③ ④

W: ❶ leg

❷ _____

❸ nose

❹ _____

leg 다리 | head 머리 | nose 코 | shoes 신발

TIPS 신체 표현: arm 팔, leg 다리, forehead 이마, knee 무릎, lips 입술

4

다음 대화를 듣고, 누구에 대해 말하고 있는지 고르시오. ·········· (   )

① 남자의 누나
② 남자의 여동생
③ 남자의 형
④ 여자의 삼촌

W: Who is the girl in the picture?

M: She is my _____ _____.

W: She is very lovely. How old is she?

M: She is _____.

picture 사진 | younger sister 여동생 | lovely 사랑스러운

TIPS younger sister은 '여동생', older sister는 '누나', '언니'입니다.

5

다음 그림을 보고, 여자가 할 말로 알맞은 것을 고르시오. ·········· (   )

① ② ③ ④

W: ❶ I go to school by subway.

　　❷ Please _____ _____ on the bus.

　　❸ Who is singing on the bus?

　　❹ Does _____ _____ go to the airport?

subway 지하철 | quiet 조용한 | airport 공항

TIPS 여자가 버스의 행선지를 묻고 있는 그림입니다.

6

다음 대화를 듣고, 삼촌의 모습으로 가장 알맞은 것을 고르시오. ·········· (   )

① ② ③ ④

B: Who is the man on stage?

G: He's my uncle.

B: Is he a _____?

G: No, but he can play _____ _____ very well.

stage 무대 | uncle 삼촌 | pianist 피아니스트 | play the piano 피아노를 치다

TIPS play the piano, pianist가 문제 해결의 열쇠입니다.

7

다음 대화를 듣고, 미나가 있는 장소를 고르시오. ·········· (   )

① 부엌
② 거실
③ 욕실
④ 침실

W: Where is Mina?

M: She's in the _____ _____.

W: What is she doing there?

M: She's _____ TV.

living room 거실 | watch 보다

TIPS 장소를 나타내는 단어로 living room(거실), bathroom(화장실), bedroom(침실), study(서재) 등이 있습니다.

8

다음 대화를 듣고, 오늘이 무슨 요일인지 고르시오. ·········· (　　)

① 월요일　　② 화요일
③ 목요일　　④ 금요일

M: _____ _____ classes do you have today?

G: What day is it today?

M: It's Tuesday.

G: I have _____ _____ on Tuesdays.

class 수업 | today 오늘 | Tuesday 화요일

TIPS on Tuesdays는 '화요일마다'라는 의미입니다.

9

다음 그림을 보고, 그림과 일치하는 대화를 고르시오. ·········· (　　)

① 　② 　③ 　④

❶ W: Who is the man _____ _____ the door?

　 B: I don't know.

❷ W: Did you clean the window?

　 B: Yes, I did.

❸ W: Are these your glasses?

　 B: No, I don't wear glasses.

❹ W: Did you _____ _____ _____?

　 B: No, I didn't.

next to ~ 옆에 | clean 청소하다 | glasses 안경 | break 깨다 | window 창문

TIPS 창문이 깨진 그림이므로 쉽게 정답을 알 수 있습니다.
자주 쓰는 표현으로 wear glasses(안경을 쓰다), break the window(창문을 깨다), clean the window(창문을 닦다) 등이 있습니다.

10

다음 대화를 듣고, 대화가 자연스럽지 <u>않은</u> 것을 고르시오. ·················· (   )

①   ②   ③   ④

❶ M: Where is your backpack?

   W: It's on the desk.

❷ M: _____ is in the room?

   W: I _____ _____ my brother.

❸ M: What did you eat for breakfast?

   W: I had _____ _____.

❹ M: When is your birthday?

   W: It's September 19.

backpack 배낭 | room 방 | breakfast 아침(식사) | bread 빵 | birthday 생일 | September 9월

TIPS · Who is in the room?에 대한 답변으로는 Sara is in the room. 등의 답변이 어울립니다.

· 날짜를 표시할 때 기수를 사용해서 쓰지만 읽을 때나 말할 때에는 서수로 말해야 합니다.

11

다음 대화를 듣고, 남자의 가방을 고르시오. ·················· (   )

①   ②

③   ④

W: Is this your backpack?

M: No, it isn't.

W: What does your backpack _____ _____?

M: My backpack is _____, and it has a _____ on the front.

backpack 배낭 | look like ~처럼 생기다 | green 초록의 | pocket 주머니 | front 앞

TIPS 가방이 초록색(green)이고 앞에 주머니(pocket)가 있습니다.

12

다음을 듣고, 헤어질 때 하는 표현이 <u>아닌</u> 것을 고르시오. ·················· (   )

①   ②   ③   ④

M: ❶ You're _____.

   ❷ See you later.

   ❸ Have a nice day.

   ❹ See you _____.

later 나중에 | nice 멋진 | soon 곧

TIPS Thank you.(감사합니다.)에 대한 답변으로는 You're welcome.(천만에요.) 이외에 No problem. / Anytime. / My pleasure. 등을 사용할 수 있습니다.

13

다음 대화를 듣고, 두 사람이 오후에 갈 곳을 고르시오. ·························· ( )

① 수족관　　　　② 박물관
③ 도서관　　　　④ 해변

B: Susan, are you free this afternoon?

G: Well, I have to finish _____ _____ first. Then, I will be free. Why?

B: I'm going to _____ _____. Can you come with me?

G: Of course.

free 한가한 | afternoon 오후 | finish 마치다 | first 먼저 | museum 박물관

TIPS I'm going to the museum.의 의미를 안다면, 쉽게 문제를 해결할 수 있습니다. Of course.는 '물론이지.'라는 의미로 상대방의 의견에 동의할 때 사용합니다.

14

다음 그림을 보고, 여자가 할 말로 알맞은 것을 고르시오. ·························· ( )

①　　②　　③　　④

W: ❶ _____ the street.

　　❷ Pass me the ball.

　　❸ It's time to go to bed.

　　❹ _____ _____!

cross 건너다 | street 길, 거리 | pass 건네다 | ball 공 | watch out 조심하다

TIPS 그림의 상황에서는 경고를 하는 표현이 가장 어울립니다.

15

다음을 듣고, 식사할 때 할 수 있는 표현을 고르시오. ·························· ( )

①　　②　　③　　④

M: ❶ Don't be sad.

　　❷ _____ _____ to the dish.

　　❸ Nice to meet you.

　　❹ Of _____, I can.

sad 슬픈 | yourself 너 자신 | dish 음식 | of course 물론

TIPS Help yourself to the dish.는 '음식을 마음껏 드세요.'라는 의미입니다.

16

다음 대화를 듣고, 남자 아이가 탁구를 할 수 없는 이유를 고르시오. ·················· ( )

① 숙제를 해야 해서
② 치과에 가야 해서
③ 감기에 걸려서
④ 엄마를 도와줘야 해서

G: Jim, let's play _____ _____ after school.

B: I'm sorry, but I can't.

G: Why?

B: I have a toothache. I have to go to _____ _____.

G: That's too bad.

table tennis 탁구 | after school 방과 후에 | toothache 치통 | dentist 치과의사

TIPS toothache, go to the dentist가 문제 해결의 열쇠입니다.

17

다음 대화를 듣고, 남자가 어젯밤에 한 일을 고르시오. ·························· (　　)

① 축구 시합　　② 숙제
③ TV 시청　　④ 시험 공부

W: How are you feeling today?

M: I'm tired and sleepy.

I _____ _____ well last night.

W: What did you do last night?

M: I watched the _____ _____ on TV until midnight.

tired 피곤한 | sleepy 졸린 | last night 지난밤 | soccer game 축구 경기 | midnight 자정, 밤중

TIPS soccer game은 '축구 경기', until midnight은 '밤늦게까지'라는 표현으로 답을 알 수 있습니다.

18

다음을 듣고, 이어질 말로 알맞은 것을 고르시오. ·························· (　　)

W _____

①　　②　　③　　④

M: Do you have any _____ _____ tomorrow?

W: ❶ It will be sunny tomorrow.

❷ I have some apples.

❸ Sounds interesting.

❹ No, _____ _____. Why?

special 특별한 | plan 계획 | tomorrow 내일 | sunny 맑은 | interesting 재미있는

TIPS Do you have any special plans tomorrow?은 '내일 특별한 계획이 있니?' 라는 질문으로 No, I don't. Why?(아니, 없어, 왜?)가 어울립니다.

19

다음 대화를 듣고, 이어질 말로 알맞은 것을 고르시오. ·························· (　　)

B _____

①　　②　　③　　④

B: Wow, there are a lot of toys here.

G: Do you have a special toy _____ _____?

B: ❶ No, I don't have a toy.

❷ Yes, I want to buy a _____ _____.

❸ I want to eat sandwiches.

❹ Let's take a break.

a lot of 많은 | toy 장난감 | special 특별한 | in mind 마음에 | break 휴식

TIPS have A in mind는 'A를 마음에 두다'라는 의미입니다.

20

다음을 듣고, 이어질 대답으로 알맞지 <u>않은</u> 것을 고르시오. ·························· (　　)

W _____

① Not yet. What is today's special?
② I like science very much.
③ Can you wait for a minute?
④ Yes, I'd like a hamburger and some French fries.

M: Are you ready to _____?

W: _____

ready 준비된 | order 주문하다 | science 과학 | minute 분 | French fries 감자 튀김

TIPS Are you ready to order?(주문하시겠습니까?) 대신 May I take your order? 나 Would you like to order now? 등을 사용할 수 있습니다.
today's special은 '오늘의 특별 요리'를 의미합니다.

14 Word Check

● 다음 들려주는 단어의 의미를 쓰세요.

	단어	의미
01	garden	정원
02	cook	
03	quiet	
04	stage	
05	pianist	
06	break	
07	pocket	
08	front	
09	later	
10	cross	
11	yourself	
12	special	
13	dentist	
14	until	
15	midnight	

● 앞에 모의고사에 나오는 문장들을 잘 듣고, 빈칸을 완성하세요.

01 She is my ___younger___ ___sister___.

02 I go to school _____ _____.

03 He can _____ _____ _____ very well.

04 She is in the _____ _____.

05 I have five classes _____ _____.

06 What did you eat _____ _____?

07 My backpack has a pocket _____ _____ _____.

08 Have a _____ _____.

09 I _____ _____ _____ my homework first.

10 _____ the street.

11 _____ _____ to the dish.

12 I have to go to _____ _____.

13 I'm _____ and _____.

14 It will _____ _____ tomorrow.

15 Are you ready _____ _____?

영어 듣기 모의고사

 보통 속도 빠른 속도

학습일	월 일	부모님 확인	점수

1

다음을 듣고, 그림과 일치하는 낱말을 고르시오. .... (   )

① ② ③ ④

2

다음을 듣고, 그림 설명으로 알맞은 것을 고르시오. .... (   )

① ② ③ ④

3

다음을 듣고, 채소를 나타내는 낱말이 <u>아닌</u> 것을 고르시오. .... (   )

① ② ③ ④

4

다음 대화를 듣고, 누구에 대해 말하고 있는지 고르시오. .... (   )

① 남자 아이의 누나
② 여자 아이의 여동생
③ 남자 아이의 형
④ 여자 아이의 삼촌

5

다음 그림을 보고, 남자가 할 말로 알맞은 것을 고르시오. .... (   )

① ② ③ ④

6

다음 대화를 듣고, 동생의 모습으로 가장 알맞은 것을 고르시오. ·················· (   )

①   ②   ③   ④

7

다음 대화를 듣고, 어머니가 있는 장소를 고르시오. ······························ (   )

① 부엌   ② 거실
③ 욕실   ④ 침실

8

다음을 듣고, 처음 만난 사람에게 하는 표현을 고르시오. ························· (   )

①   ②   ③   ④

9

다음 그림을 보고, 그림과 일치하는 대화를 고르시오. ···················· (   )

①   ②   ③   ④

10

다음 대화를 듣고, 대화가 자연스럽지 않은 것을 고르시오. ···················· (   )

①   ②   ③   ④

11

다음 대화를 듣고, 남자가 얼마 동안 피아노 연습을 하는지 고르시오. ·············· (   )

① 30분   ② 1시간
③ 1시간 30분   ④ 2시간

14

다음 대화를 듣고, 무엇에 관해 이야기하고 있는지 고르시오. ····················· (   )

① 컴퓨터 수리   ② 이메일 주소
③ 날씨   ④ 숙제

12

다음 대화를 듣고, 남자 아이가 할 일을 고르시오. ································· (   )

① 설거지하기   ② 쓰레기 버리기
③ 숙제하기   ④ 청소하기

13

다음 대화를 듣고, 대화가 일어나는 장소를 고르시오. ························· (   )

① 박물관   ② 동물원
③ 병원   ④ 꽃 박람회

15

다음을 듣고, 내용에서 알 수 없는 것을 고르시오. ························· (   )

① 취미   ② 좋아하는 운동
③ 좋아하는 음식   ④ 출신지

16

다음 대화를 듣고, 두 사람이 만날 시각을 고르시오. ·· (   )

① 6시   ② 6시 30분
③ 7시   ④ 7시 30분

17

다음 대화를 듣고, 남자가 가려고 하는 장소를 고르시오. ······························ (   )

① ② ③ ④

현재 위치

①   ②   ③   ④

18

다음을 듣고, 이어질 말로 알맞은 것을 고르시오. ·· (   )

W _____

①   ②   ③   ④

19

다음을 듣고, 이어질 말로 알맞은 것을 고르시오. ·· (   )

B _____

①   ②   ③   ④

20

다음 대화를 듣고, 이어질 말로 알맞은 것을 고르시오. ·································· (   )

M _____

① Yes, I want some paper.
② I want to go to Korea.
③ To Seoul. How much does it cost?
④ No, I don't have any brothers.

학습일   월   일   부모님 확인   점수

● 잘 듣고, 빈칸에 알맞은 말을 쓰세요.

1

다음을 듣고, 그림과 일치하는 낱말을 고르시오. ……………………… ( )

① ② ③ ④

W: ❶ _____

❷ orange

❸ _____

❹ apple

carrot 당근 | orange 오렌지 | watermelon 수박 | apple 사과

2

다음을 듣고, 그림 설명으로 알맞은 것을 고르시오. ……………………… ( )

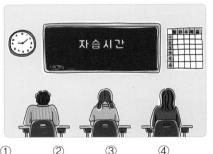

① ② ③ ④

M: ❶ The students are swimming in the sea.

❷ The students are _____ the street.

❸ The students are _____ in the classroom.

❹ The students are playing soccer.

swim 수영하다 | sea 바다 | cross 건너다 | street 길 | classroom 교실 | play soccer 축구하다

TIPS cross the street는 '거리를 건너다'라는 의미입니다.

3

다음을 듣고, 채소를 나타내는 낱말이 <u>아닌</u> 것을 고르시오. ……………………… ( )

① ② ③ ④

W: ❶ _____

❷ cucumber

❸ pumpkin

❹ _____

onion 양파 | cucumber 오이 | pumpkin 호박 | fish 생선

TIPS 이외에도 채소를 나타내는 단어에는 garlic(마늘), mushroom(버섯), cabbage(양배추), spinach(시금치) 등이 있습니다.

4

다음 대화를 듣고, 누구에 대해 말하고 있는지
고르시오. ····················· (   )

① 남자 아이의 누나
② 여자 아이의 여동생
③ 남자 아이의 형
④ 여자 아이의 삼촌

G: Do you have any brothers or sisters?

B: I have one _____ _____.

G: How old is he?

B: He's fifteen years old. He is a _____
_____ student.

brother 형제 | sister 자매 | middle school 중학교

TIPS older brother은 '형', '오빠'를 의미하고, younger brother는 '남동생'을
의미합니다.

5

다음 그림을 보고, 남자가 할 말로 알맞은 것을
고르시오. ····················· (   )

① ② ③ ④

M: ❶ Happy birthday.

    ❷ Congratulations on your _____!

    ❸ Thank you for your _____.

    ❹ Please turn up the volume.

birthday 생일 | congratulations 축하해 | graduation 졸업 | kindness 친절 |
turn up 소리를 크게 하다 | volume 소리

TIPS 졸업을 축하하는 표현이 어울립니다.

6

다음 대화를 듣고, 동생의 모습으로 가장 알맞
은 것을 고르시오. ················· (   )

① ② ③ ④

M: Who is your brother in the picture?

W: He is the one _____ _____.

M: Is he your brother?

W: No, he is also wearing a _____
_____.

picture 사진 | wear 입다 | shorts 반바지 | also ~도 | baseball cap 야구모자

TIPS shorts(반바지)와 baseball cap(야구모자)을 쓰고 있는 소년이 동생입니다.

7

다음 대화를 듣고, 어머니가 있는 장소를 고르
시오. ····················· (   )

① 부엌   ② 거실
③ 욕실   ④ 침실

B: Mom, I'm home. Where are you?

W: I'm in the _____.

B: What are you doing there?

W: I'm _____ the room.

home 집 | bedroom 침실 | clean 청소하다

TIPS 어머니가 침실(bedroom)에서 청소(clean)를 하고 계십니다.

8

다음을 듣고, 처음 만난 사람에게 하는 표현을 고르시오. ·············· (　　)

① 　　② 　　③ 　　④

W: ❶ I'm so sorry.

   ❷ Nice to ＿＿＿＿＿＿ ＿＿＿＿＿＿.

   ❸ Long time ＿＿＿＿＿＿ ＿＿＿＿＿＿.

   ❹ Hurry up!

sorry 미안한 | **meet** 만나다 | **see** 보다 | **hurry up** 서두르다

TIPS Long time no see.는 '오랜만이다.'라는 의미로 처음 만난 사람에게 하는 인사말이 아닙니다. I'm so sorry.는 사과할 때 하는 표현입니다.

9

다음 그림을 보고, 그림과 일치하는 대화를 고르시오. ·············· (　　)

① 　　② 　　③ 　　④

❶ W: How was your weekend?

   M: It was great.

❷ W: Would you help me ＿＿＿＿＿＿ ＿＿＿＿＿＿ the tent?

   M: Sure. No problem.

❸ W: Let's ＿＿＿＿＿＿ ＿＿＿＿＿＿ together.

   M: I'm sorry, but I can't.

❹ W: Can I borrow your tent?

   M: Yes, my tent is over there.

weekend 주말 | **great** 훌륭한 | **set up** 세우다 | **tent** 텐트 | **go camping** 캠핑 가다 | **together** 함께 | **borrow** 빌리다

TIPS 그림으로 보아 set up the tent(텐트를 치다)가 들어간 대화가 가장 어울립니다.

10

다음 대화를 듣고, 대화가 자연스럽지 않은 것을 고르시오. ·············· (　　)

① 　　② 　　③ 　　④

❶ M: What's wrong?

   W: I have a headache.

❷ M: Is something wrong, Jenny? You are late again.

   W: Sorry, I woke up late this morning.

❸ M: Do you have ＿＿＿＿＿＿ ＿＿＿＿＿＿ in your house?

   W: Yes, I have a puppy.

❹ M: ＿＿＿＿＿＿ ＿＿＿＿＿＿ ask you a question?

   W: That's ＿＿＿＿＿＿ ＿＿＿＿＿＿.

wrong 잘못된 | **headache** 두통 | **late** 늦은 | **again** 다시 | **pet** 반려동물 | **puppy** 강아지 | **ask** 묻다 | **question** 질문

TIPS That's too bad.는 '그거 안됐군요.'라는 의미로 안타까운 상황에서 사용할 수 있습니다.

11

다음 대화를 듣고, 남자가 얼마 동안 피아노 연습을 하는지 고르시오. ·········· (   )

① 30분   ② 1시간
③ 1시간 30분   ④ 2시간

W: What are you doing, Tom?

M: I'm _____ the piano.

W: How long do you practice the piano?

M: I practice the piano for _____ _____.

practice 연습하다 | how long 얼마나 오래 | hour 시간

TIPS for an hour는 '1시간 동안'이라는 의미입니다.

12

다음 대화를 듣고, 남자 아이가 할 일을 고르시오. ·········· (   )

① 설거지하기   ② 쓰레기 버리기
③ 숙제하기   ④ 청소하기

B: Mom, what's for dinner tonight?

W: I'm making bibimbap.

B: Really? I love bibimbap very much. Is there anything I can do _____ _____?

W: Can you _____ _____ _____ after dinner?

B: Okay.

tonight 오늘 밤 | very much 아주 많이 | wash the dishes 설거지하다

TIPS wash the dishes는 '설거지하다'라는 의미입니다.

13

다음 대화를 듣고, 대화가 일어나는 장소를 고르시오. ·········· (   )

① 박물관   ② 동물원
③ 병원   ④ 꽃 박람회

M: Look at _____ _____. They are very beautiful, aren't they?

W: Yes, they are. What types of flowers do you like?

M: I like _____ most. How about you?

W: I like _____. Look! There are a lot of tulips over there.

flower 꽃 | beautiful 아름다운 | type 종류 | rose 장미 | most 가장 | tulip 튤립

TIPS flower, rose, tulip 등을 통해 장소를 유추할 수 있습니다.

14

다음 대화를 듣고, 무엇에 관해 이야기하고 있는지 고르시오. ·········· (   )

① 컴퓨터 수리   ② 이메일 주소
③ 날씨   ④ 숙제

M: I want to send you an email. Can I have your address?

W: I don't have an _____ _____.

M: Why don't you _____ _____? It's easy, and it's free.

W: Okay. Can you help me?

send 보내다 | email 이메일 | address 주소 | easy 쉬운 | free 무료의

TIPS Why don't you make one?에서 one은 email address를 의미합니다.

15

다음을 듣고, 내용에서 알 수 없는 것을 고르시오. ············· (   )

① 취미   ② 좋아하는 운동
③ 좋아하는 음식   ④ 출신지

B: Hi, everyone. My name is John Brown.
   I'm 13 years old.
   I'm from New York. I like reading books.
   My _____ _____ is pizza.
   I'm happy to _____ _____.

everyone 모두 | happy 행복한 | meet 만나다

TIPS 소년의 취미는 독서, 출신지는 뉴욕, 좋아하는 음식은 피자입니다.

16

다음 대화를 듣고, 두 사람이 만날 시각을 고르시오. ············· (   )

① 6시   ② 6시 30분
③ 7시   ④ 7시 30분

W: John, let's _____ _____
   tomorrow morning.
M: Okay. What time shall we meet?
W: How about 6:30?
M: That's _____ _____.
   Let's meet at _____ _____.
W: Okay. See you then.

go jogging 조깅하러 가다 | tomorrow morning 내일 아침 | meet 만나다 | early 이른 |
then 그때

TIPS 남자가 6시 30분은 너무 이르다고 말하고 있습니다.

17

다음 대화를 듣고, 남자가 가려고 하는 장소를 고르시오. ············· (   )

①   ②   ③   ④

M: Excuse me. Where is the bookstore?
W: Well, go _____ and turn _____
   at the first corner.
M: Go straight and turn where?
W: Turn left at the first corner. You can see it on
   _____ _____.
M: Thank you.

bookstore 서점 | straight 곧장 | turn left 왼쪽으로 돌다 | corner 모퉁이 | right 오른쪽

TIPS turn left(왼쪽으로 돌아라), at the first corner(첫 번째 모퉁이), on your
right(너의 오른쪽에)를 통해 위치를 알 수 있습니다.

18

다음을 듣고, 이어질 말로 알맞은 것을 고르시오. ………………………………… (   )

W _____

①   ②   ③   ④

M: Hi, Nancy. _____ _____ your summer vacation?

W: ❶ It was _____.

    ❷ I like swimming in summer.

    ❸ No, thank you.

    ❹ No, I don't think so.

summer vacation 여름휴가 | wonderful 아주 멋진 | think 생각하다 | so 그렇게

TIPS How was your summer vacation?은 '여름휴가가 어땠니?'라는 의미로 It was wonderful. / It was good. / It was great. 등의 대답이 올 수 있습니다.

19

다음을 듣고, 이어질 말로 알맞은 것을 고르시오. ………………………………… (   )

B _____

①   ②   ③   ④

G: Paul, _____ did you buy the book?

B: ❶ I bought it at _____ _____.

    ❷ Yes, I like reading books.

    ❸ No, it's not my book.

    ❹ Let's go to the _____.

buy 사다 | bought 사다(buy)의 과거형 | bookstore 서점 | library 도서관

TIPS where로 물으면 구체적인 장소를 이용해 대답합니다.

20

다음 대화를 듣고, 이어질 말로 알맞은 것을 고르시오. ………………………………… (   )

M _____

① Yes, I want some paper.

② I want to go to Korea.

③ To Seoul. How much does it cost?

④ No, I don't have any brothers.

W: Can I help you?

M: Yes. I'd like to _____ this letter.

W: _____ _____?

M: _____

help 돕다 | mail (우편으로) 보내다 | letter 편지 | cost 비용이 들다

TIPS To where?은 '어디로 보낼까요?'라는 의미로 편지를 보내고자 하는 지역으로 답하면 됩니다.

● 다음 들려주는 단어의 의미를 쓰세요.

	단어	의미
01	watermelon	수박
02	pumpkin	
03	graduation	
04	volume	
05	bedroom	
06	borrow	
07	headache	
08	question	
09	hour	
10	tonight	
11	send	
12	address	
13	free	
14	everyone	
15	wonderful	

● 앞에 모의고사에 나오는 문장들을 잘 듣고, 빈칸을 완성하세요.

01 The students ___are___ ___studying___ in the classroom.

02 I have one _____ _____.

03 He is a _____ _____ student.

04 _____ on your graduation!

05 Please _____ _____ the volume.

06 Long time _____ _____.

07 Let's _____ _____ together.

08 _____ _____, but I can't.

09 I _____ _____ late this morning.

10 I practice the piano for _____ _____.

11 Is there anything I can do _____ _____?

12 I want to _____ you an _____.

13 Let's _____ _____ tomorrow morning.

14 Go straight and _____ _____ at the first corner.

15 I _____ _____ at the bookstore.

Vocabulary

● 다음 단어들을 듣고, 뜻을 미리 알아보세요.

01	airplane	비행기	**16**	subway	지하철
02	windy	바람 부는	**17**	picture	그림
03	favorite	좋아하는	**18**	top	맨 위
04	help	돕다	**19**	free	한가한
05	birthday	생일	**20**	future	장래, 미래
06	finish	마치다	**21**	floor	바닥
07	homework	숙제	**22**	wall	벽
08	happen	(일이) 일어나다	**23**	look for	~을 찾다
09	accident	사고	**24**	soon	곧
10	toothache	치통	**25**	cheesecake	치즈케이크
11	weekend	주말	**26**	how much	(가격) 얼마
12	family	가족	**27**	go shopping	쇼핑 가다
13	shoes	신발	**28**	this morning	오늘 아침
14	cold	추운, 감기	**29**	next Monday	다음 주 월요일
15	people	사람들	**30**	movie director	영화감독

● 다음 단어들을 듣고, 뜻을 미리 알아보세요.

01	lamp	전등
02	bicycle	자전거
03	backpack	배낭
04	movie	영화
05	o'clock	~시
06	traditional	전통의
07	dish	음식
08	baseball cap	야구 모자
09	cafeteria	구내식당
10	straight	곧장
11	borrow	빌리다
12	Saturday	토요일
13	together	함께
14	yesterday	어제
15	park	공원

16	wear	입다
17	pants	바지
18	skirt	치마
19	tired	피곤한
20	invite	초대하다
21	birthday	생일
22	puppy	강아지
23	city hall	시청
24	have a cold	감기에 걸리다
25	walk a dog	개를 산책시키다
26	how many	얼마나 많이
27	look like	~처럼 생기다
28	long hair	긴 머리
29	feel good	기분이 좋다
30	be good at	~을 잘하다

● 다음 단어들을 듣고, 뜻을 미리 알아보세요.

01	picture	그림	16	street	길, 거리
02	scissors	가위	17	road	도로
03	flower	꽃	18	season	계절
04	lawyer	변호사	19	spring	봄
05	congratulations	축하해	20	museum	박물관
06	welcome	환영받는	21	library	도서관
07	toothache	치통	22	return	반납하다
08	dentist	치과의사	23	here it is	여기 있다
09	pianist	피아니스트	24	you're welcome	천만에요
10	nurse	간호사	25	red light	빨간 신호
11	absent	결석한	26	a lot of	많은
12	hospital	병원	27	after school	방과 후에
13	happen	(일이) 일어나다	28	next year	내년
14	arm	팔	29	set the table	식탁을 차리다
15	cross	건너다	30	weather report	일기예보

4 회 **Voca**bulary

● 다음 단어들을 듣고, 뜻을 미리 알아보세요.

01	mountain	산
02	river	강
03	mistake	실수
04	park	공원, 주차하다
05	concert	콘서트
06	sick	아픈
07	then	그때
08	order	주문, 주문하다
09	weekend	주말
10	dollar	달러
11	color	색
12	shoes	신발
13	size	사이즈, 크기
14	today	오늘
15	breakfast	아침(식사)

16	country	시골
17	walk	걷다
18	near	가까운
19	matter	문제
20	headache	두통
21	medicine	약
22	think	생각하다
23	flu	독감
24	free time	여가 시간
25	convenience store	편의점
26	last year	작년
27	shopping bag	쇼핑백
28	take a walk	산책하다
29	get to	～에 도착하다
30	grow up	자라다

● 다음 단어들을 듣고, 뜻을 미리 알아보세요.

01	magazine	잡지	16	glasses	안경
02	calendar	달력	17	need	필요하다
03	weather	날씨	18	musician	음악가
04	snowman	눈사람	19	already	이미, 벌써
05	visit	방문하다	20	birthday	생일
06	schoolyard	운동장	21	contest	대회
07	member	회원	22	pity	유감, 연민
08	fix	고치다	23	shorts	반바지
09	wrong	잘못된	24	first prize	1등
10	enjoy	즐기다	25	years old	～살
11	delicious	맛있는	26	last night	지난밤
12	vacation	방학	27	until midnight	자정까지
13	movie	영화	28	anything else	다른 거
14	midnight	자정, 밤중	29	have to	～해야 한다
15	picnic	소풍	30	hurry up	서두르다

6회 Vocabulary

● 다음 단어들을 듣고, 뜻을 미리 알아보세요.

01	volleyball	배구	16	please	제발
02	spoon	숟가락	17	here	여기
03	island	섬	18	tired	피곤한
04	envy	부러워하다	19	toothache	치통
05	excited	신이 난	20	pocket	주머니
06	favorite	좋아하는	21	mean	의미하다
07	sing	노래하다	22	problem	문제
08	jump	뛰다	23	weekend	주말
09	future	장래, 미래	24	fried chicken	프라이드치킨
10	get	얻다	25	wash the dishes	설거지하다
11	weather	날씨	26	air conditioner	에어컨
12	along	~을 따라	27	go for a walk	산책하러 가다
13	beach	해변	28	in front of	~ 앞에
14	clean	청소하다	29	watch out	조심하다
15	then	그때	30	because of	~ 때문에

● 다음 단어들을 듣고, 뜻을 미리 알아보세요.

01	glasses	안경	16	heavy	무거운
02	excited	신이 난	17	volume	볼륨, 소리
03	difficult	어려운	18	mistake	실수
04	angry	화난	19	farm	농장
05	matter	일	20	early	일찍
06	someone	누군가	21	go out	외식하다
07	weekend	주말	22	flower shop	꽃 가게
08	light	등, 불	23	have a cold	감기 걸리다
09	borrow	빌리다	24	amusement park	놀이공원
10	cool	멋진	25	turn on	(불을) 켜다
11	online	온라인으로	26	on sale	세일 중인
12	hungry	배고픈	27	take pictures	사진 찍다
13	today	오늘	28	feel good	기분이 좋다
14	lesson	수업	29	not really	그다지
15	carry	휴대하다	30	turn down	(소리 등) 줄이다

● 다음 단어들을 듣고, 뜻을 미리 알아보세요.

01	zebra	얼룩말
02	giraffe	기린
03	kindness	친절
04	hobby	취미
05	ride	타다
06	grass	풀
07	miss	놓치다
08	walk	산책시키다
09	thirsty	목마른
10	handsome	잘생긴
11	under	~ 아래에
12	medium	중간의
13	restaurant	식당
14	popular	인기 있는
15	attend	참석하다

16	wedding	결혼식
17	doll	인형
18	guitar	기타
19	flute	플루트
20	sunglasses	선글라스
21	plan	계획
22	pants	바지
23	cheer up	기운 내다
24	how often	얼마나 자주
25	every day	매일
26	get up	일어나다
27	come soon	곧 다가오다
28	over there	저쪽에
29	musical instrument	악기
30	try on	입어 보다

● 다음 단어들을 듣고, 뜻을 미리 알아보세요.

01	notebook	공책	16	shelf	선반
02	quiet	조용한	17	aunt	이모, 고모
03	borrow	빌리다	18	stay	머무르다
04	usually	보통	19	outside	밖에
05	homework	숙제	20	leave	떠나다
06	carrot	당근	21	soon	곧
07	always	항상, 언제나	22	station	역
08	helmet	헬멧	23	after dinner	저녁(식사) 후에
09	tomorrow	내일	24	take a walk	산책하다
10	idea	생각	25	ride a bike	자전거를 타다
11	draw	그리다	26	smell good	냄새가 좋다
12	picture	그림	27	set the table	식탁을 차리다
13	family	가족	28	car accident	자동차 사고
14	sit	앉다	29	post office	우체국
15	wall	벽	30	go straight	곧장 가다

● 다음 단어들을 듣고, 뜻을 미리 알아보세요.

01	sofa	소파
02	gloves	장갑
03	already	이미, 벌써
04	math	수학
05	coffee	커피
06	drinking	음주 (술을 마시는 것)
07	smoking	흡연 (담배 피우는 것)
08	garden	정원
09	water	물을 주다
10	favorite	좋아하는
11	food	음식
12	cook	요리하다
13	ready	준비된
14	rose	장미
15	kind	종류

16	bookcase	책장
17	clock	시계
18	wall	벽
19	there	거기에
20	snack	간식
21	movie	영화
22	dessert	디저트
23	go to bed	자러 가다
24	cook dinner	저녁을 요리하다
25	birthday party	생일 파티
26	field trip	현장학습
27	all day	하루 종일
28	take care of	~을 돌보다
29	subway station	지하철역
30	by bus	버스로

● 다음 단어들을 듣고, 뜻을 미리 알아보세요.

01	exciting	신이 난
02	best	가장
03	sign	표시, 간판
04	here	여기
05	pretty	꽤
06	stay	머무르다
07	dress	원피스
08	nose	코
09	kind	종류
10	cucumber	오이
11	fresh	신선한
12	delicious	맛있는
13	worry	걱정하다
14	together	함께
15	pass	전달하다

16	salt	소금
17	place	장소
18	ride	탈것
19	dangerous	위험한
20	chef	요리사
21	cellphone	휴대전화
22	ago	~ 전에
23	amusement park	놀이공원
24	would like to	~하고 싶다
25	library card	도서관 카드
26	make a call	전화하다
27	action movie	액션 영화
28	live in	~에 살다
29	on a diet	다이어트 중
30	how long	얼마나 오래

● 다음 단어들을 듣고, 뜻을 미리 알아보세요.

01	rice	밥, 쌀
02	subway	지하철
03	ticket	표
04	fish	낚시하다
05	sometimes	때때로
06	together	함께
07	better	더 좋은
08	dress	원피스
09	hamburger	햄버거
10	money	돈
11	sleepy	졸린
12	happen	(일이) 일어나다
13	again	다시
14	late	늦은
15	famous	유명한

16	guitarist	기타리스트
17	dream	꿈
18	present	선물
19	pleasure	즐거움
20	everyone	모두
21	come true	실현되다
22	teddy bear	곰 인형
23	best friend	가장 친한 친구
24	last weekend	지난 주말
25	have a test	시험을 보다
26	cheer up	기운 내다
27	try on	입어 보다
28	fitting room	탈의실
29	fried rice	볶음밥
30	classical music	고전음악

● 다음 단어들을 듣고, 뜻을 미리 알아보세요.

01	bridge	다리	16	right	오른쪽
02	airport	공항	17	left	왼쪽
03	really	정말	18	move	옮기다
04	strong	강한	19	cousin	사촌
05	subject	과목	20	cafeteria	구내식당
06	weather	날씨	21	noon	정오
07	outdoor	실외의	22	concert	콘서트
08	bowling	볼링	23	by myself	혼자서
09	bookstore	서점	24	outdoor sports	야외 스포츠
10	season	계절	25	free time	자유 시간
11	kindness	친절	26	wake up	깨다
12	lovely	사랑스러운	27	next to	~ 옆에
13	market	시장	28	get to	~에 도착하다
14	parents	부모	29	swimming pool	수영장
15	touch	만지다	30	what time	몇 시

● 다음 단어들을 듣고, 뜻을 미리 알아보세요.

01	garden	정원
02	cook	요리하다
03	head	머리
04	picture	사진
05	quiet	조용한
06	stage	무대
07	pianist	피아니스트
08	class	수업
09	break	깨다
10	September	9월
11	pocket	주머니
12	front	앞
13	later	나중에
14	finish	마치다
15	cross	건너다

16	pass	건네다
17	yourself	너 자신
18	special	특별한
19	dentist	치과의사
20	tired	피곤한
21	break	휴식
22	minute	분
23	sunflower	해바라기
24	younger sister	여동생
25	living room	거실
26	watch out	조심하다
27	of course	물론
28	table tennis	탁구
29	soccer game	축구 경기
30	in mind	마음에

● 다음 단어들을 듣고, 뜻을 미리 알아보세요.

01	watermelon	수박
02	carrot	당근
03	sea	바다
04	onion	양파
05	pumpkin	호박
06	graduation	졸업
07	volume	소리
08	picture	사진
09	bedroom	침실
10	tent	텐트
11	borrow	빌리다
12	headache	두통
13	question	질문
14	hour	시간
15	tonight	오늘 밤

16	tulip	튤립
17	send	보내다
18	address	주소
19	free	무료의
20	everyone	모두
21	early	이른
22	wonderful	아주 멋진
23	play soccer	축구하다
24	summer vacation	여름 휴가
25	turn up	소리를 크게 하다
26	middle school	중학교
27	hurry up	서두르다
28	set up	세우다
29	go camping	캠핑 가다
30	how long	얼마나 오래

Longman

Listening
mentor joy

3
LEVEL

정답 및 해석

P Pearson

Longman

Listening
mentor joy

정답 및 해석

3
LEVEL

① 영어 듣기 모의고사

본책 p. 06

1 ④	2 ④	3 ③	4 ①	5 ④	6 ②	7 ③	8 ④	9 ④	10 ②
11 ②	12 ②	13 ①	14 ③	15 ④	16 ①	17 ③	18 ①	19 ③	20 ④

듣기 대본
본책 p. 10

1 M: airplane

2 W: ① sunny
② hot
③ windy
④ white

3 B: Hi, Jina. What are you doing?
G: I'm watching a soccer game on TV.
B: Do you like soccer?
G: Yes, it's my favorite sport.

4 W: May I help you?
B: Yes. I'm looking for a birthday cake for my mom.
W: How about this chocolate cake?
B: Sounds good, but my mom likes cheesecake.

5 W: Tony, it's time for bed.
B: Really? What time is it now?
W: It's 10:30.
B: Okay. I'll finish my homework soon.

6 ① G: What day is it today?
B: It's Tuesday.
② G: What happened to your leg?
B: I had a car accident.
③ G: Can I use your computer?
B: Sure.
④ G: What's wrong?
B: I have a toothache.

7 M: I'm looking for a coat for my son.
W: How about this one?
M: How much is it?
W: ① It's 10 o'clock.
② It's raining now.
③ It's 50 dollars.
④ I don't like that coat.

해석

1 M: 비행기

2 W: ① 맑은
② 더운
③ 바람 부는
④ 흰색

3 B: 안녕, 지나. 뭐하고 있어?
G: 나는 TV로 축구 경기를 보고 있어.
B: 축구 좋아하니?
G: 응, 내가 제일 좋아하는 스포츠야.

4 W: 도와드릴까요?
B: 예. 엄마를 위한 생일 케이크를 찾고 있어요.
W: 이 초콜릿 케이크는 어때요?
B: 좋은데 엄마가 치즈 케이크를 좋아하세요.

5 W: 토니야, 잘 시간이다.
B: 정말요? 지금 몇 시예요?
W: 10시 30분이야.
B: 알겠어요. 곧 숙제를 마칠게요.

6 ① G: 오늘 무슨 요일이야?
B: 화요일이야.
② G: 너 다리에 무슨 일이야?
B: 자동차 사고를 당했어.
③ G: 네 컴퓨터를 써도 되니?
B: 물론.
④ G: 무슨 일이야?
B: 치통이 있어.

7 M: 아들이 입을 코트를 찾고 있어요.
W: 이것은 어때요?
M: 그게 얼마예요?
W: ① 10시예요.
② 지금 비가 오고 있어요.
③ 50달러예요.
④ 나는 저 코트가 마음에 안 들어요.

8 G: Sam, what did you do last weekend?
B: I went to the zoo with my family. How about you?
G: I went shopping with my mom. She bought me new shoes.
B: Oh, that's great.

9 M: Do we have good weather today?
W: No, we don't. It's raining. Take an umbrella with you.

10 M: I can't go to my swimming lessons today.
W: Why? Are you busy today?
M: No. I have a bad cold.
W: Oh, you have a cold? That's too bad.

11 B: Susan, how many people are in your family?
G: I have four people in my family. You have five people in your family, right?
B: Yes, that's right. They are my parents, two sisters, and me.
G: Do you have any pets?
B: No, I don't.

12 M: How can I help you?
W: I left my bag on the subway this morning.
M: What does it look like?
W: It is yellow and has a picture of a bear on the top.

13 B: Would you like to go to the museum on Thursday?
G: Oh, sorry, but I can't. I have piano lessons on Thursday.
B: Then, how about next Monday?
G: Sure. I'm free next Monday.

14 B: What do you want to be in the future?
G: I want to be a veterinarian.
B: Why do you want to be a veterinarian?
G: I like animals. What about you, Mike?
B: I want to be a movie director.

15 M: ① There is a computer on the bed.
② There is a cat on the bed.
③ There are books on the floor.
④ There is a picture on the wall.

16 W: Excuse me. Would you show me the way to the station?
M: Go up one block and turn left. It's on your right.
W: Thank you very much.
M: My pleasure.

8 G: 샘, 지난 주말에 뭐했어?
B: 가족이랑 동물원에 갔어. 너는 어때?
G: 나는 엄마랑 쇼핑 갔어. 엄마가 새 신발을 사주셨어.
B: 오, 좋겠다.

9 M: 오늘 날씨 좋니?
W: 아니. 비 오고 있어. 우산 가지고 가.

10 M: 나 오늘 수영 수업에 못 가.
W: 왜? 오늘 바빠?
M: 아니. 독감에 걸렸어.
W: 오, 감기 걸렸다고? 너무 안됐다.

11 B: 수잔, 네 가족은 몇 명이야?
G: 나는 가족이 4명이야. 너는 가족이 5명이지, 맞지?
B: 응, 맞아. 부모님이랑 누나 두 명이랑 나야.
G: 너는 반려동물이 있니?
B: 아니, 없어.

12 M: 어떻게 도와드릴까요?
W: 오늘 아침에 가방을 지하철에 두고 내렸어요.
M: 어떻게 생겼죠?
W: 노란색에 윗부분에 곰 그림이 있어요.

13 B: 목요일에 박물관에 가고 싶니?
G: 오, 미안, 갈 수 없어. 목요일에 피아노 수업이 있어.
B: 그럼, 다음 주 월요일은 어때?
G: 좋아. 다음 주 월요일은 가능해.

14 B: 너는 장래 희망이 뭐니?
G: 나는 수의사가 되고 싶어.
B: 왜 수의사가 되고 싶어?
G: 나는 동물을 좋아해. 너는 어때, 마이크?
B: 나는 영화 감독이 되고 싶어.

15 M: ① 침대 위에 컴퓨터가 있다.
② 침대 위에 고양이가 있다.
③ 바닥에 책들이 있다.
④ 벽에 그림이 있다.

16 W: 실례합니다. 역으로 가려면 어떻게 가죠?
M: 한 블록 위로 올라가서 왼쪽으로 가세요. 그러면 오른쪽에 있어요.
W: 대단히 감사합니다.
M: 천만에요.

17 ① B: How old are you?
　　　G: I'm eleven.
　　② B: Is this your pencil?
　　　G: No, it isn't.
　　③ B: Do you like apples?
　　　G: Yes, I am.
　　④ B: How is the weather today?
　　　G: It's cloudy.

18 M: May I help you?
　　W: ① Yes, please. I'd like to buy a T-shirt.
　　　② Yes, I can help you.
　　　③ Yes, you are right.
　　　④ You look tired today.

19 W: What's your favorite color?
　　M: ① I like Korean food.
　　　② I like reading.
　　　③ I like pink.
　　　④ They are not my dogs.

20 B: Why were you late for school yesterday?
　　G: ① I got up late.
　　　② I missed the school bus.
　　　③ I was sick.
　　　④ My school is near my house.

17 ① B: 몇 살이야?
　　　G: 11살이야.
　　② B: 이게 네 연필이니?
　　　G: 아니, 그렇지 않아.
　　③ B: 너는 사과를 좋아하니?
　　　G: 응, 그래.
　　④ B: 오늘 날씨가 어떠니?
　　　G: 흐려.

18 M: 도와드릴까요?
　　W: ① 예. 티셔츠를 사고 싶어요.
　　　② 예, 내가 당신을 도와줄 수 있어요.
　　　③ 예, 당신이 맞아요.
　　　④ 오늘 피곤해 보이네요.

19 W: 너는 무슨 색을 좋아해?
　　M: ① 나는 한국 음식을 좋아해.
　　　② 나는 독서를 좋아해.
　　　③ 나는 분홍색을 좋아해.
　　　④ 그들은 내 개가 아니야.

20 B: 너 어제 학교에 왜 늦었어?
　　G: ① 늦게 일어났어.
　　　② 학교 버스를 놓쳤어.
　　　③ 아팠어.
　　　④ 학교는 집에서 가까워.

Word Check
본책 p. 16

01 비행기	04 숙제	07 치통	10 사람들	13 장래
02 좋아하는	05 일어나다	08 주말	11 지하철	14 바닥
03 생일	06 사고	09 가족	12 한가한	15 벽

Sentence Check
본책 p. 17

01 I'm watching a soccer game on TV.
02 I'm looking for a birthday cake for my mom.
03 I'll finish my homework soon.
04 I went shopping with my mom.
05 Take an umbrella with you.
06 I have a bad cold.
07 I have four people in my family.
08 I left my bag on the subway this morning.
09 I have piano lessons on Thursday.
10 I want to be a veterinarian.
11 There is a picture on the wall.
12 Go up one block and turn left.
13 I'd like to buy a T-shirt.
14 I like pink.
15 My school is near my house.

2회 영어 듣기 모의고사

1 ④	2 ③	3 ②	4 ②	5 ①	6 ①	7 ③	8 ②	9 ②	10 ④
11 ①	12 ③	13 ④	14 ②	15 ②	16 ③	17 ③	18 ①	19 ③	20 ②

듣기 대본

1 M: ① lamp
② sister
③ subway
④ bicycle

2 W: ① white
② black
③ windy
④ blue

3 M: ① What are you doing?
② Can you help me, please?
③ Is this your backpack?
④ I'm sorry. I can't help you.

4 W: Tony, what time does the movie start?
M: It starts at 2 o'clock.
W: What time is it now?
M: It's 1:30.

5 B: Hi, Jina. What are you going to eat for lunch?
G: I'm going to eat bibimbap.
B: What is bibimbap?
G: Bibimbap is a traditional Korean dish. It's my favorite food.

6 M: Can I help you?
W: Yes, I'm looking for a baseball cap for my son.
M: How about this one?
W: That's too big for him.
M: Then, how about this yellow one?
W: It looks good. I'll take it.

7 ① M: Can I see your book?
W: Sure, here you are.
② M: Can you play the violin?
W: Yes, I can.
③ M: Excuse me. How can I get to the city hall?
W: Go straight two blocks.
④ M: Where are you going?
W: I'm going to the cafeteria.

해석

1 M: ① 전등
② 누나, 여동생
③ 지하철
④ 자전거

2 W: ① 흰색
② 검은색
③ 바람 부는
④ 파란색

3 M: ① 뭐하고 있니?
② 저 좀 도와주실 수 있나요?
③ 이게 네 배낭이니?
④ 죄송합니다. 당신을 도와줄 수 없어요.

4 W: 토니야, 영화 몇 시에 시작해?
M: 2시에 시작해.
W: 지금 몇 시야?
M: 1시 30분이야.

5 B: 안녕, 지나. 점심으로 뭐 먹을 거야?
G: 나는 비빔밥을 먹을 거야.
B: 비빔밥이 뭐야?
G: 비빔밥은 한국 전통 음식이야. 내가 가장 좋아하는 음식이지.

6 M: 도와드릴까요?
W: 예, 아들에게 줄 야구모자를 찾고 있어요.
M: 이것은 어때요?
W: 너무 커요.
M: 그러면 이 노란 것은 어때요?
W: 좋아 보이네요. 그걸로 할게요.

7 ① M: 네 책을 볼 수 있니?
W: 물론이지, 여기 있어.
② M: 너는 바이올린 켤 수 있니?
W: 응, 할 수 있어.
③ M: 실례합니다. 시청으로 어떻게 가죠?
W: 두 블록을 죽 가세요.
④ M: 너는 어디에 가고 있니?
W: 나는 구내식당에 가고 있어.

8 G: Hi, Mike. Where are you going?
B: I'm going to the library.
G: What for?
B: I'm going to borrow some books.

8 G: 안녕, 마이크. 어디 가?
B: 나 도서관에 가고 있어.
G: 왜?
B: 책을 좀 빌릴 거야.

9 B: What do you do on Saturdays?
G: I go swimming. How about you?
B: I just watch TV at home.
G: You are so lazy! Let's go swimming together this Saturday.
B: All right. Let's do that.

9 B: 너는 토요일에는 뭐해?
G: 나는 수영하러 가. 너는 어때?
B: 나는 그냥 집에서 TV를 봐.
G: 너 무척 게으르다! 이번 토요일에는 같이 수영하러 가자.
B: 좋아. 그렇게 하자.

10 G: Hi, Paul. Did you stay home yesterday?
B: No, I didn't. I went to the park.
G: Why did you go there?
B: I walked my dog.

10 G: 안녕, 폴. 너 어제 집에 있었니?
B: 아니. 공원에 갔어.
G: 왜 거기 갔는데?
B: 개를 산책시켰어.

11 B: How many books are there on the desk?
G: There are three books.
B: How many books are there in your bag?
G: There are four books.

11 B: 책상 위에 책이 몇 권 있어?
G: 3권 있어.
B: 네 가방에는 책이 몇 권 있어?
G: 4권 있어.

12 M: What does your sister look like?
W: She has long hair.
M: Is she wearing pants?
W: No, she's wearing a red skirt.

12 M: 네 여동생은 어떻게 생겼어?
W: 머리가 길어.
M: 바지를 입고 있어?
W: 아니, 빨간 치마를 입고 있어.

13 ① B: How tall are you?
G: I'm 160 cm tall.
② B: Let's play basketball.
G: Sorry, I can't. I'm tired.
③ B: What are you doing?
G: I'm doing my homework.
④ B: How many pencils do you have?
G: I'm twelve years old.

13 ①B: 키가 얼마야?
G: 160 cm야.
②B: 농구하자.
G: 미안하지만, 못 해. 나 피곤해.
③B: 뭐하고 있어?
G: 나 숙제하고 있어.
④B: 연필을 얼마나 가지고 있어?
G: 나는 12살이야.

14 G: My birthday is next Friday.
B: Are you going to invite your friends on your birthday?
G: Yes, I am.
B: What do you want for your birthday?
G: I want a puppy.

14 G: 내 생일이 다음 주 금요일이야.
B: 네 친구들을 생일에 초대할 거니?
G: 응, 그럴 거야.
B: 생일에 무엇을 받고 싶어?
G: 나는 강아지를 원해.

15 M: May I take your order?
W: I'd like to have a hamburger.
M: Anything to drink?
W: One orange juice, please.

15 M: 주문하시겠어요?
W: 햄버거로 주세요.
M: 마실 것은요?
W: 오렌지 주스로 주세요.

16 G: Hi, everyone. I'm happy to meet you. My <u>name</u> is Alice. I am 11 years old. I'm <u>from</u> Canada. This is my <u>first</u> day at a Korean school.

17 W: ① There is a <u>clock</u> on the wall.
② There is a picture on the wall.
③ A <u>boy</u> is sitting on the sofa.
④ A girl is <u>reading</u> a book.

18 M: <u>Thank</u> <u>you</u> for helping me.
W: ① It's my <u>pleasure</u>.
② I don't feel good.
③ I want to have pizza.
④ It's raining now.

19 M: What's the <u>problem</u>?
W: ① I'm <u>glad</u> to meet you.
② It's not my house.
③ I have a <u>toothache</u>.
④ I have some money.

20 M: How's it going, Jina?
W: Not so good. I <u>have</u> <u>a</u> <u>cold</u>.
M: ① I'm hungry.
② That's <u>too</u> <u>bad</u>.
③ The water is very cold.
④ I'm not good at English.

16 G: 안녕, 모두들, 너희들을 만나서 기뻐.
내 이름은 엘리스야. 나는 11살이야.
나는 캐나다에서 왔어. 한국 학교는 오늘이 첫날이야.

17 W: ① 벽에 시계가 있다.
② 벽에 그림이 있다.
③ 한 소년이 소파에 앉아 있다.
④ 한 소녀가 책을 읽고 있다.

18 M: 도와주셔서 감사해요.
W: ① 도와드릴 수 있어서 기뻐요.
② 나 기분이 좋지 않아.
③ 나는 피자를 먹고 싶어.
④ 지금 비가 내리고 있어.

19 M: 무슨 일이야?
W: ① 너를 만나서 기뻐.
② 그것은 내 집이 아니야.
③ 치통이 있어.
④ 나는 돈이 좀 있어.

20 M: 지나야, 잘 지내?
W: 좋지 않아. 나 감기 걸렸어.
M: ① 나는 배가 고파.
② 그거 안됐구나.
③ 물이 엄청 차가워.
④ 나는 영어를 잘하지 못해.

Word Check
본책 p. 28

01 전등	**04** 구내식당	**07** 함께	**10** 입다	**13** 초대하다
02 자전거	**05** 곧장	**08** 어제	**11** 바지	**14** 생일
03 전통의	**06** 빌리다	**09** 공원	**12** 피곤한	**15** 강아지

Sentence Check
본책 p. 29

01 What time does the movie start?
02 Bibimbap is a traditional Korean dish.
03 I'm looking for a baseball cap for my son.
04 Go straight two blocks.
05 I'm going to borrow some books.
06 Let's go swimming together this Saturday.
07 I walked my dog.
08 How many books are there on the desk?
09 She is wearing a red skirt.
10 Let's play basketball.
11 My birthday is next Friday.
12 I'd like to have a hamburger.
13 I'm from Canada.
14 Thank you for helping me.
15 I have a toothache.

| 1 ③ | 2 ④ | 3 ② | 4 ④ | 5 ③ | 6 ① | 7 ③ | 8 ③ | 9 ① | 10 ② |
| 11 ② | 12 ③ | 13 ④ | 14 ④ | 15 ④ | 16 ④ | 17 ④ | 18 ③ | 19 ② | 20 ④ |

듣기 대본
본책 p. 34

해석

1 M: ① picture
② water
③ scissors
④ flower

1 M: ① 그림
② 물
③ 가위
④ 꽃

2 W: ① doctor
② lawyer
③ teacher
④ soccer

2 W: ① 의사
② 변호사
③ 선생님
④ 축구

3 W: ① Here it is.
② Congratulations!
③ That's too bad.
④ You're welcome.

3 W: ① 여기 있어.
② 축하해!
③ 안됐다.
④ 천만에요.

4 G: How are you feeling today?
B: I'm not good. I have a toothache.
G: Did you go to the dentist?
B: Yes, I did.

4 G: 오늘 기분 어때?
B: 좋지 않아. 치통이 있어.
G: 치과에 갔어?
B: 응, 갔어.

5 M: Who is playing the piano?
W: My mom is playing the piano.
M: Is your mom a pianist?
W: No, she's a nurse.

5 M: 누가 피아노 치고 있어?
W: 엄마가 피아노 치고 계셔.
M: 네 어머니는 피아니스트야?
W: 아니, 간호사야.

6 B: Why is James absent today?
G: He's in the hospital.
B: What happened?
G: He broke his arm yesterday.
B: That's too bad.

6 B: 제임스가 오늘 왜 결석했어?
G: 입원했어.
B: 무슨 일이 일어났어?
G: 어제 팔이 부러졌어.
B: 정말 안됐다.

7 M: What time does your school begin?
G: It begins at 9 o'clock.
M: What time does it finish?
G: School finishes at 3.

7 M: 네 학교는 몇 시에 시작해?
G: 9시에 시작해요.
M: 학교는 몇 시에 마치니?
G: 3시에 마쳐요.

8 ① W: What's your name?
  M: My name is James Brown.
  ② W: Are you hungry?
  M: Yes. Let's order some pizza.
  ③ W: Let's cross the street.
  M: Stop, Jane! It's a red light.
  ④ W: Are there many cars on the road?
  M: Yes, there are.

8 ① W: 네 이름이 뭐야?
  M: 내 이름은 제임스 브라운이야.
  ② W: 너 배고프니?
  M: 응. 피자를 좀 주문하자.
  ③ W: 길을 건너자.
  M: 멈춰, 제인! 빨간 신호야.
  ④ W: 도로에 차들이 많이 있니?
  M: 응, 많이 있어.

9 G: What's your favorite season?
  B: I like summer. I like swimming in the sea.
    How about you?
  G: I like spring.
  B: Why do you like spring?
  G: We can see a lot of beautiful flowers.

9 G: 네가 좋아하는 계절이 뭐야?
  B: 나는 여름이 좋아. 난 바다에서 수영하는 거 좋아해.
    너는 어때?
  G: 나는 봄.
  B: 왜 봄을 좋아해?
  G: 많은 꽃들을 볼 수 있잖아.

10 G: Sam, let's go to the museum after school.
  B: I'd like to, but I can't. I have to go the library.
  G: What for?
  B: I have to return these books by today.

10 G: 샘, 방과 후에 박물관에 가자.
  B: 그러고 싶은데 못 가. 나 도서관에 가야 해.
  G: 왜?
  B: 오늘까지 이 책들을 반납해야 해.

11 B: Amy, can you speak Korean?
  G: Yes, I can. I like learning Korean.
  B: That's cool. Can you speak Chinese, too?
  G: No, but I'm going to learn Chinese next year.

11 B: 에이미, 너 한국말 할 수 있어?
  G: 응, 할 수 있어. 나 한국어 배우는 거 좋아해.
  B: 멋지다. 중국어도 할 수 있니?
  G: 아니, 하지만 내년에는 중국어를 배울 거야.

12 B: Do you have a cat?
  G: Yes, I have a cat.
  B: What does it look like?
  G: It's black and has a long tail.

12 B: 너 고양이 있니?
  G: 응, 있어.
  B: 어떻게 생겼어?
  G: 검은색에 꼬리가 길어.

13 ① B: How old are you?
  G: I'm twelve years old.
  ② B: What are you eating?
  G: I'm eating a banana.
  ③ B: Let's go to the beach tomorrow.
  G: Sounds good.
  ④ B: How are you today?
  G: Today is Friday.

13 ① B: 너 몇 살이야?
  G: 나 12살이야.
  ② B: 뭐 먹고 있니?
  G: 나 바나나 먹고 있어.
  ③ B: 내일 해변에 가자.
  G: 좋아.
  ④ B: 오늘 어때?
  G: 오늘은 금요일이야.

14 W: Look at the bears!
  B: Mom, there is a tiger near the lions.
  W: Yes, it is very big.
  B: Mom, where are the pandas?
  W: There aren't any pandas in this zoo.

14 W: 곰들을 봐!
  B: 엄마, 사자 근처에 호랑이가 있어요.
  W: 그래, 매우 크네.
  B: 엄마, 판다는 어디 있어요?
  W: 이 동물원에는 판다가 없어.

15 B: Mom, what are you making?
  W: I am making pasta for dinner.
  B: Wow, it smells so good.
  W: Dinner is almost ready. Please set the table.

15 B: 엄마, 뭐 만들고 계세요?
  W: 저녁에 먹을 파스타를 좀 만들고 있어.
  B: 와우, 냄새가 무척 좋아요.
  W: 저녁이 거의 준비됐어. 식탁 좀 차려주렴.

16 W: Good morning. It's Tuesday. This is today's weather report. It's windy and rainy at the moment, so take an umbrella when you go out.

16 W: 좋은 아침입니다. 화요일입니다. 오늘 날씨 예보입니다. 지금은 바람이 불고 비가 오고 있으니 외출하실 때 우산을 가지고 가세요.

17 M: ① A woman is reading a book.
② There is a cat next to the woman.
③ There is a vase on the table.
④ There are some books on the sofa.

17 M: ① 한 여자가 책을 읽고 있다.
② 여자 옆에는 고양이가 있다.
③ 탁자 위에 꽃병이 있다.
④ 소파 위에 책이 좀 있다.

18 G: Kevin, did you go to the beach yesterday?
B: No, I didn't. I was very busy yesterday.
G: Why were you busy?
B: I took care of my younger brother, cleaned my room, and did my homework.

18 G: 케빈, 어제 해변에 갔었니?
B: 아니, 안 갔어. 나 어제 무척 바빴어.
G: 왜 바빴는데?
B: 남동생을 돌봤고 내 방을 청소했고 그리고 숙제를 했어.

19 W: John, you look tired. Is something wrong?
M: ① See you tomorrow.
② I didn't sleep last night.
③ I'm happy to hear that.
④ It's sunny today.

19 W: 존, 피곤해 보여. 너 무슨 일 있니?
M: ① 내일 보자.
② 지난밤에 잠을 못 잤어.
③ 그것을 들으니 행복해.
④ 오늘은 맑아.

20 B: What are you going to do this weekend?
G: I'm going to go shopping. How about you?
B: ① I don't go shopping.
② I go shopping once a month.
③ Let's meet at 11 o'clock.
④ I'm going to visit my uncle.

20 B: 이번 주말에 뭐할 거야?
G: 나 쇼핑할 거야. 너는 어때?
B: ① 나는 쇼핑을 하러 가지 않아.
② 나는 한 달에 한 번 쇼핑을 해.
③ 11시에 만나자.
④ 난 삼촌을 방문하러 갈 거야.

Word Check 본책 p. 40

01 가위	**04** 환영받는	**07** 피아니스트	**10** 일어나다	**13** 계절
02 변호사	**05** 치통	**08** 결석한	**11** 건너다	**14** 도서관
03 축하해	**06** 치과의사	**09** 병원	**12** 길, 거리	**15** 반납하다

Sentence Check 본책 p. 41

01 How are you feeling today?
02 My mom is playing the piano.
03 He broke his arm yesterday.
04 School finishes at 3.
05 Let's cross the street.
06 I like swimming in the sea.
07 We can see a lot of beautiful flowers.
08 I have to return these books by today.

09 I'm going to learn Chinese next year.
10 There is a tiger near the lions.
11 Please set the table.
12 It's windy and rainy at the moment.
13 I took care of my younger brother.
14 I'm happy to here that.
15 I go shopping once a month.

1 ④	2 ②	3 ②	4 ④	5 ①	6 ④	7 ③	8 ②	9 ②	10 ②
11 ②	12 ③	13 ③	14 ②	15 ②	16 ③	17 ④	18 ①	19 ①	20 ②

듣기 대본
본책 p. 46

해석

1 M: ① window
② river
③ street
④ mountain

1 M: ① 창문
② 강
③ 길, 거리
④ 산

2 W: ① You are not late.
② I'm sorry for being late.
③ That's a good idea.
④ Can I have some food?

2 W: ① 너는 늦지 않았어.
② 늦어서 죄송해요.
③ 그거 좋은 생각이야.
④ 음식을 좀 먹을 수 있나요?

3 W: ① Don't smoke here.
② Don't jump into the pool.
③ Don't park here.
④ Don't make a mistake.

3 W: ① 여기서 담배 피우지 마라.
② 수영장으로 뛰어들지 마라.
③ 여기에 주차하지 마라.
④ 실수하지 마라.

4 M: What's your favorite color?
W: I like red. How about you?
M: I like blue. The color makes me happy.

4 M: 네가 좋아하는 색이 뭐야?
W: 나는 빨간색이 좋아. 너는 어때?
M: 나는 파란색이 좋아. 그 색이 나를 행복하게 해.

5 B: Jina, did you go to the concert last night?
G: No, I didn't.
B: Why didn't you go to the concert?
G: I was sick in bed.
B: That's too bad.

5 B: 지나, 지난밤에 콘서트에 갔니?
G: 아니, 안 갔어.
B: 왜 콘서트에 안 갔어?
G: 아파서 누워 있었어.
B: 정말 안됐다.

6 M: Let's go to the K-pop concert tomorrow.
W: Sounds good. What time shall we meet?
M: The concert starts at 2 o'clock. How about meeting at 1:30?
W: That's fine with me. See you then.

6 M: 내일 k팝 콘서트 가자.
W: 좋아. 몇 시에 만날까?
M: 콘서트가 2시에 시작해. 1시 30분에 만나는 거 어때?
W: 나도 좋아. 그때 보자.

7 G: Where are you going?
B: I'm going to the convenience store.
G: What for?
B: I need some water and milk.

7 G: 너 어디 가고 있어?
B: 나 편의점에 가고 있어.
G: 왜?
B: 물이랑 우유가 좀 필요해.

8 ① M: How do you go to school?
W: I go by bus.
② M: May I take your order?
W: Yes, I'd like pasta.
③ M: What's your favorite food?
W: I like pizza.
④ M: How was your weekend?
W: It was great.

8 ① M: 학교에 어떻게 가니?
W: 버스로 가.
② M: 주문하시겠습니까?
W: 예, 파스타로 주세요.
③ M: 좋아하는 음식이 뭐야?
W: 나는 피자 좋아해.
④ M: 주말 어땠어?
W: 멋졌어.

9
G: Where are you from?
B: I'm <u>from</u> <u>England</u>.
G: When did you come to Korea?
B: I came here <u>last</u> <u>year</u>.

9 G: 어디에서 왔어?
B: 영국에서 왔어.
G: 언제 한국에 왔어?
B: 여기에 작년에 왔어.

10
M: May I help you?
W: I'm <u>looking</u> <u>for</u> apples.
M: Here are some apples.
　　<u>How</u> <u>many</u> apples do you want?
W: I want six. How much are they?
M: One dollar each.

10 M: 도와드릴까요?
W: 사과를 찾고 있어요.
M: 여기 사과가 좀 있어요. 얼마나 원하시죠?
W: 6개 주세요. 얼마예요?
M: 한 개에 1달러예요.

11
M: Can I help you?
W: Yes, I lost my <u>shopping</u> <u>bag</u>.
M: What color is it?
W: It's <u>yellow</u>, and it has <u>flowers</u> on it.

11 M: 도와드릴까요?
W: 예, 쇼핑백을 잃어버렸어요.
M: 무슨 색이죠?
W: 노란색에 꽃 그림이 있어요.

12
M: May I help you?
W: Yes, I'm looking for some <u>shoes</u>.
M: How about these?
W: I like them, but they are too small for me.
　　I need a <u>larger</u> <u>size</u>.

12 M: 도와드릴까요?
W: 예, 신발을 좀 찾고 있어요.
M: 이게 어때요?
W: 좋은데 저한테 너무 작아요. 더 큰 사이즈 주세요.

13 ① B: I have <u>the</u> <u>flu</u>.
　　　G: That's too bad.
　② B: How many pencils do you have?
　　　G: I have five.
　③ B: When did you <u>get</u> <u>up</u> today?
　　　G: I had breakfast at 8.
　④ B: How are you feeling today?
　　　G: I'm good.

13 ①B: 나 독감에 걸렸어.
　　　G: 안됐다.
　②B: 너 연필 얼마나 가지고 있어?
　　　G: 5개 가지고 있어.
　③B: 오늘 몇 시에 일어났어?
　　　G: 나 8시에 아침식사를 했어.
　④B: 오늘 기분 어때?
　　　G: 좋아.

14 M: ① They are running along the street.
　　　② They are <u>riding</u> <u>bikes</u> in the country.
　　　③ They are reading books in the room.
　　　④ They are taking a walk in the <u>park</u>.

14 M: ① 그들은 거리를 따라 달리고 있다.
　　　② 그들은 시골길에서 자전거 타고 있다.
　　　③ 그들은 방에서 책을 읽고 있다.
　　　④ 그들은 공원에서 산책하고 있다.

15 G: How do you get to school, Sam?
　　　B: I go to school <u>by</u> <u>bike</u>. How about you, Mary?
　　　G: My school is near my house, so I <u>walk</u> <u>to</u>
　　　　school.

15 G: 학교에 어떻게 가, 샘?
　　　B: 나는 자전거로 학교에 가. 너는 어때, 메리?
　　　G: 학교가 집에서 가까워서 나는 걸어서 가.

16 M: You don't look good. What's the matter?
　　　W: I have a <u>headache</u>.
　　　M: That's too bad. Did you take some medicine?
　　　W: No, I didn't. I didn't have <u>any</u> <u>medicine</u> for
　　　　headaches.

16 M: 너 안 좋아 보여. 무슨 일이야?
　　　W: 나 두통이 있어.
　　　M: 안됐다. 약은 먹었어?
　　　W: 아니, 안 먹었어. 두통약이 하나도 없어.

17 B: What do you want to be when you grow up?
　　G: I want to be a doctor. <u>How</u> <u>about</u> you?
　　B: I like teaching kids. I want to be a <u>teacher</u>.
　　G: I think you'll be a good teacher.

18 W: Would you like some more chicken?
　　M: ① No, thanks. I'm <u>full</u>.
　　　　② Yes, I like cooking.
　　　　③ No, I didn't <u>order</u> <u>chicken</u>.
　　　　④ Yes, I like summer.

19 M: What do you do in your <u>free</u> <u>time</u>?
　　W: ① I play <u>computer</u> <u>games</u>.
　　　　② I don't have a computer.
　　　　③ Sure, no problem.
　　　　④ It's my <u>pleasure</u>.

20 W: Tomorrow is Saturday. Do you have any
　　　　<u>special</u> <u>plans</u>?
　　M: No, I don't.
　　W: <u>How</u> <u>about</u> going to the aquarium?
　　M: ① Yes, I like reading.
　　　　② Why not? That's a good idea.
　　　　③ Sure, I can help you.
　　　　④ That's not my idea.

17 B : 너는 커서 뭐가 되고 싶어?
　　G : 나는 의사가 되고 싶어. 너는 어때?
　　B : 나는 아이들 가르치는 것을 좋아해. 나는 선생님이 되고
　　　　싶어.
　　G : 너는 좋은 선생님이 될 거야.

18 W : 치킨 더 먹을래?
　　M : ① 아니, 고마워. 배불러.
　　　　② 응, 나 요리 좋아해.
　　　　③ 아니, 난 치킨을 주문하지 않았어.
　　　　④ 응, 난 여름이 좋아.

19 M : 너는 여가 시간에 뭐해?
　　W : ① 나는 컴퓨터 게임을 해.
　　　　② 나는 컴퓨터가 없어.
　　　　③ 물론, 문제없어.
　　　　④ 나도 기뻐.

20 W : 내일 토요일이야. 특별한 계획 있니?
　　M : 아니, 없어.
　　W : 수족관 가는 거 어때?
　　M : ① 응, 난 독서 좋아해.
　　　　② 그래. 좋은 생각이야.
　　　　③ 물론, 널 도와줄 수 있어.
　　　　④ 그건 내 생각이 아니야.

Word Check 본책 p. 52

01 산	**04** 콘서트	**07** 주말	**10** 오늘	**13** 약
02 실수	**05** 아픈	**08** 신발	**11** 시골	**14** 생각하다
03 주차하다	**06** 주문	**09** 사이즈, 크기	**12** 문제	**15** 독감

Sentence Check 본책 p. 53

01 I'm sorry for being late.
02 Don't jump into the pool.
03 The color makes me happy.
04 I was sick in bed.
05 See you then.
06 I'm going to the convenience store.
07 May I take your order?
08 I'm from England.
09 I lost my shopping bag.
10 They are too small for me.
11 That's too bad.
12 They are riding bikes in the country.
13 I go to school by bike.
14 I have a headache.
15 It's my pleasure.

5회 영어 듣기 모의고사

| 1 ② | 2 ① | 3 ④ | 4 ④ | 5 ④ | 6 ② | 7 ④ | 8 ② | 9 ① | 10 ② |
| 11 ② | 12 ④ | 13 ① | 14 ① | 15 ③ | 16 ④ | 17 ③ | 18 ④ | 19 ④ | 20 ③ |

듣기 대본
본책 p. 58

1 M: ① magazine
② calendar
③ clock
④ backpack

2 W: ① See you later.
② I'm fine.
③ That sounds good.
④ You look great.

3 B: How is the weather today?
G: It's snowing.
B: Let's make a snowman.
G: Okay!

4 B: Hi, Julie. How about playing tennis after school?
G: I'm sorry, but I can't. I have to go to the hospital.
B: Why?
G: My grandmother is sick. I have to visit her.

5 W: ① How much is it?
② Is this your book?
③ Can I go home now?
④ Can I help you?

6 M: Who are the kids running in the schoolyard?
G: They are soccer players.
M: How many members are there in the soccer club?
G: There are 23 players.

7 B: Hi, my name is Brian. I'm 14 years old. I'm from Canada. I like reading. My favorite sport is baseball.

8 ① M: How do you go to school?
G: I go to school by bike.
② M: May I help you?
G: Could you fix this bike?
③ M: Where are you from?
G: I'm from Korea.
④ M: You look sad. What's wrong?
G: I lost my bag.

해석

1 M: ① 잡지
② 달력
③ 시계
④ 배낭

2 W: ① 나중에 봐.
② 좋아.
③ 좋은 생각이야.
④ 멋져 보여.

3 B: 오늘 날씨 어때?
G: 눈이 오고 있어.
B: 눈사람을 만들자.
G: 좋아!

4 B: 안녕, 줄리. 방과 후에 테니스 치는 거 어때?
G: 미안한데 못해. 병원에 가야 해.
B: 왜?
G: 할머니가 아프셔. 병문안 가야 해.

5 W: ① 얼마야?
② 이게 네 책이야?
③ 지금 집에 가도 되니?
④ 도와줄까?

6 M: 운동장에서 달리는 아이들이 누구니?
G: 축구선수들이에요.
M: 축구클럽에 회원이 몇 명이니?
G: 23명 있어요.

7 B: 안녕, 나의 이름은 브라이언이야.
나는 14살이야. 나는 캐나다에서 왔어.
나는 독서를 좋아해. 내가 좋아하는 스포츠는 야구야.

8 ① M: 학교에 어떻게 가?
G: 자전거로 학교에 가요.
② M: 도와드릴까요?
G: 이 자전거 고칠 수 있나요?
③ M: 어디에서 왔어?
G: 한국에서 왔어요.
④ M: 슬퍼 보여. 뭐 잘못됐어?
G: 가방을 잃어버렸어요.

9 ① W: Did you enjoy dinner?
   M: Yes, I did. The food was very delicious.
② W: How was your vacation?
   M: It was great.
③ W: What did you do last night?
   M: I went camping.
④ W: What do you want for lunch?
   M: I want some bread and milk.

9 ①W: 저녁 맛있게 먹었니?
   M: 응. 음식이 매우 맛있었어.
②W: 네 방학 어땠어?
   M: 멋졌어.
③W: 지난밤에 뭐했어?
   M: 캠핑 갔어.
④W: 점심으로 뭐 먹고 싶어?
   M: 빵이랑 우유를 좀 먹고 싶어.

10 G: Did you go to the movies last night?
   B: No, I didn't.
   G: Then, what did you do?
   B: I did math homework until midnight.
   G: Oh, that's too bad.

10 G: 지난밤에 영화 보러 갔니?
   B: 아니, 못 갔어.
   G: 그러면 뭐했어?
   B: 수학 숙제를 자정까지 했어.
   G: 오, 안됐다.

11 M: Amy, when is your picnic?
   G: Tomorrow.
   M: Oh, what day is it today? Is it Tuesday?
   G: No, it's Wednesday.

11 M: 에이미, 소풍이 언제니?
   G: 내일이요.
   M: 오, 오늘이 무슨 요일이니? 화요일?
   G: 아니요, 수요일이요.

12 W: May I help you?
   B: Yes, I'm looking for a birthday present for my brother.
   W: How about this robot?
   B: It looks nice. How much is it?
   W: It's 15 dollars.

12 W: 도와드릴까요?
   B: 예, 남동생 생일 선물을 찾고 있어요.
   W: 이 로봇은 어때요?
   B: 좋아 보여요. 얼마예요?
   W: 15달러예요.

13 ① M: What time is it now?
   W: I'm busy today.
② M: What are you doing?
   W: I'm reading a book.
③ M: When did you buy the computer?
   W: I bought it yesterday.
④ M: What's wrong?
   W: I have a headache.

13 ①M: 지금 몇 시야?
   W: 나는 오늘 바빠.
②M: 뭐하고 있어?
   W: 책 읽고 있어.
③M: 컴퓨터 언제 샀어?
   W: 나 그거 어제 샀어.
④M: 너 무슨 일 있어?
   W: 두통이 있어.

14 M: What does your brother look like?
   W: He's wearing shorts.
   M: Is he wearing glasses?
   W: Yes, he is.

14 M: 네 남동생은 어떻게 생겼어?
   W: 반바지를 입고 있어.
   M: 안경을 썼니?
   W: 응, 그래.

15 W: Can I help you?
   B: Yes, please. I need an eraser and two pencils.
   W: Here you are.
   B: Oh, I'm sorry. Please give me one more pencil.
   W: Okay. Do you need anything else?
   B: No, that's all.

15 W: 도와드릴까요?
   B: 예. 지우개 하나랑 연필 두 자루가 필요해요.
   W: 여기 있어요.
   B: 오, 죄송해요. 연필 하나만 더 주세요.
   W: 좋아요. 더 필요한 거 있어요?
   B: 아니요. 이게 다예요.

16 G: Hello. My name is Cathy. I'm 11 years old. I live in Seoul. I like singing. I want to be a musician.

16 G: 안녕. 내 이름은 캐시야. 나는 11살이야. 나는 서울에 살고 있어. 나는 노래하는 것을 좋아해. 나는 음악가가 되고 싶어.

17 W: Mike, it's time to go to school.
B: What time is it now?
W: It's already 8:20. You have to hurry up.
B: Okay, Mom.

17 W: 마이크, 학교 갈 시간이야.
B: 지금 몇 시예요?
W: 벌써 8시 20분이야. 서둘러야 해.
B: 예, 엄마.

18 W: David, when is your birthday?
M: ① Don't worry.
② Today is Friday.
③ It looks great.
④ It's October 10.

18 W: 데이비드, 생일이 언제야?
M: ① 걱정하지 마.
② 오늘이 금요일이야.
③ 멋져 보여.
④ 10월 10일이야.

19 B: Cathy, you look very happy today. What's up?
G: I won first prize in the English speaking contest.
B: ① I hope so.
② It's a pity.
③ My pleasure.
④ Congratulations!

19 B: 캐시, 오늘 행복해 보이네. 무슨 일이야?
G: 영어 말하기 대회에서 일등을 했어.
B: ① 그러길 바라.
② 유감이다.
③ 제가 좋죠.
④ 축하해!

20 M: What's your name?
G: I'm Mary Brown.
M: What grade are you in?
G: ① Thank you very much.
② I like Korean food.
③ I'm in the fifth grade.
④ Yes, I had a good time.

20 M: 이름이 뭐야?
G: 메리 브라운이요.
M: 몇 학년이니?
G: ① 매우 감사해요.
② 한국 음식을 좋아해요.
③ 5학년이요.
④ 예, 즐거운 시간 보냈어요.

Word Check
본책 p. 64

01 잡지	04 운동장	07 즐기다	10 밤중, 자정	13 이미, 벌써
02 달력	05 회원	08 맛있는	11 소풍	14 대회
03 눈사람	06 잘못된	09 방학	12 음악가	15 유감, 연민

Sentence Check
본책 p. 65

01 See you later.
02 Let's make a snowman.
03 The color makes me happy.
04 I have to go to the hospital.
05 My favorite sport is baseball.
06 The food was very delicious.
07 I did math homework until midnight.
08 What's wrong?

09 I'm looking for a birthday present for my brother.
10 Can I help you?
11 Here you are.
12 It's time to go to school.
13 I want to be a musician.
14 Don't worry.
15 I won the first prize in the English speaking contest.

본책 p. 66

1 ②	2 ④	3 ②	4 ③	5 ④	6 ③	7 ①	8 ③	9 ③	10 ②
11 ③	12 ④	13 ④	14 ①	15 ③	16 ②	17 ②	18 ④	19 ②	20 ④

듣기 대본
본책 p. 70

1 M: baseball cap

2 W: ① baseball
　　② tennis
　　③ volleyball
　　④ spoon

3 G: What are you going to do this weekend?
　B: I'm going to Jeju Island with my family.
　G: I envy you. You look very excited.
　B: Yes, I can't wait!

4 M: Hi, Julie. Do you like pizza?
　W: Yes, I love it. What's your favorite food?
　M: I like pasta.

5 M: ① The girl is singing on the bed.
　　② The girl She is sleeping on the bed.
　　③ The girl She is sitting on the bed.
　　④ The girl She is jumping on the bed.

6 G: What do you want to be in the future?
　B: I want to be a doctor. How about you, Kelly?
　G: I want to be a nurse like my mother.

7 G: Look! I have a new watch.
　B: What a nice watch! Where did you get it?
　G: My dad bought it for me yesterday.

8 M: How's the weather today?
　W: ① It's sunny.
　　② It's raining.
　　③ It's Monday.
　　④ It's cloudy.

9 M: What did you do yesterday?
　W: I went to the beach.
　M: Did you swim there?
　W: No, I walked along the beach with my dog.

해석

1 M: 야구모자

2 W: ① 야구
　　② 테니스
　　③ 배구
　　④ 숟가락

3 G: 이번 주말에 뭐할 거야?
　B: 가족이랑 제주도 갈 거야.
　G: 부럽다. 너 무척 신나 보인다.
　B: 응, 못 기다리겠어!

4 M: 안녕, 줄리. 너 피자 좋아하니?
　W: 응, 좋아해. 네가 좋아하는 음식은 뭔데?
　M: 나는 파스타를 좋아해.

5 M: ① 소녀가 침대에서 노래하고 있다.
　　② 소녀가 침대에서 자고 있다.
　　③ 소녀가 침대에 앉아 있다.
　　④ 소녀가 침대에서 뛰고 있다.

6 G: 너는 장래에 뭐가 되고 싶어?
　B: 나는 의사가 되고 싶어. 너는 어때, 켈리?
　G: 나는 엄마처럼 간호사가 되고 싶어.

7 G: 봐! 새 손목시계야.
　B: 멋진 시계구나! 어디서 났어?
　G: 아빠가 어제 나에게 사주셨어.

8 M: 오늘 날씨가 어때?
　W: ① 맑아.
　　② 비가 오고 있어.
　　③ 월요일이야.
　　④ 흐려.

9 M: 너 어제 뭐했어?
　W: 해변에 갔어.
　M: 거기서 수영했니?
　W: 아니, 개랑 해변을 따라 걸었어.

10 ① W: Did you wash the dishes?
    M: Yes, I did.
  ② W: It's <u>hot</u> today. Could you please <u>turn on</u> the air conditioner?
    M: Sure.
  ③ W: Can you clean the living room?
    M: <u>No problem</u>.
  ④ W: What's your favorite food?
    M: I like fried chicken.

11 M: Sara, let's go for a walk today.
  W: <u>Sounds good</u>.
  M: Can we meet <u>at six</u> in front of the park?
  W: Sure. See you then.

12 M: ① Don't do that.
    ② <u>Watch out</u>!
    ③ Don't swim here.
    ④ <u>Help</u> me, please.

13 ① B: Is this your bag?
    G: No, it isn't. My bag is red.
  ② B: Let's <u>play tennis</u>.
    G: Sorry, I can't. I'm tired.
  ③ B: What do you want?
    G: I want some water.
  ④ B: <u>When</u> is your birthday?
    G: I'm twelve <u>years old</u>.

14 W: John, you <u>look tired</u>. What's wrong?
  M: I didn't sleep last night.
  W: Did you play computer games?
  M: No. I couldn't sleep because of <u>a toothache</u>.

15 W: Jim, is this your shirt?
  M: No, it's Tony's shirt. My shirt is <u>yellow</u> and has a <u>pocket</u>.
  W: Do you <u>mean</u> this one?
  M: Yes, that's the one.

16 G: Hello. My name is Cindy. I'm from Spain. I'm <u>12</u> years old. I like playing the <u>violin</u>. My favorite food is pizza. I want to be a <u>singer</u> when I grow up.

10 ① W: 설거지했니?
    M: 응, 했어.
  ② W: 오늘 덥네요. 에어컨 좀 켜주실래요?
    M: 알았어요.
  ③ W: 거실 좀 청소해줄래?
    M: 문제없어.
  ④ W: 네가 좋아하는 음식이 뭐야?
    M: 나는 프라이드치킨을 좋아해.

11 M: 사라야, 오늘 산책하자.
  W: 좋아.
  M: 공원 앞에서 6시에 만날까?
  W: 좋아. 그때 봐.

12 M: ① 그거 하지 마.
    ② 조심해!
    ③ 여기서 수영하지 마.
    ④ 도와주세요.

13 ① B: 이게 네 가방이니?
    G: 아니, 그렇지 않아. 내 가방은 빨간색이야.
  ② B: 테니스 치자.
    G: 미안, 못 해. 나 피곤해.
  ③ B: 뭘 원해?
    G: 물을 좀 원해.
  ④ B: 네 생일이 언제야?
    G: 나 12살이야.

14 W: 존, 너 피곤해 보여. 뭐 무슨 일 있어?
  M: 지난밤에 잠을 못 잤어.
  W: 컴퓨터 게임했니?
  M: 아니. 치통 때문에 잠을 못 잤어.

15 W: 짐, 이게 네 셔츠니?
  M: 아니, 이것은 토니 거야. 내 거는 노란색에 주머니가 있어.
  W: 이거 말하는 거야?
  M: 응, 그거야.

16 G: 안녕. 내 이름은 신디야. 나는 스페인에서 왔어. 나는 12살이야. 나는 바이올린 연주하는 것을 좋아해. 내가 좋아하는 음식은 피자야. 나는 커서 가수가 되고 싶어.

17 W: ① There are five books and two pencils on the desk.
② There are two books and two pencils on the desk.
③ There are two books and four pencils on the desk.
④ There are four books and three pencils on the desk.

17 W: ① 책상 위에 책 다섯 권과 연필 두 자루가 있다.
② 책상 위에 책 두 권과 연필 두 자루가 있다.
③ 책상 위에 책 두 권과 연필 네 자루가 있다.
④ 책상 위에 책 네 권과 연필 세 자루가 있다.

18 W: Excuse me, can you help me?
M: ① Don't worry about it.
② It's time for lunch.
③ I don't go to school today.
④ Sure. How can I help you?

18 W: 실례합니다만 저를 도와줄 수 있나요?
M: ① 그것은 걱정하지 마.
② 점심시간이야.
③ 나는 오늘 학교에 가지 않는다.
④ 그럼요. 어떻게 도와줄까요?

19 W1: Hi, Sam.
M: Hi, Jane. This is my sister, Alice.
W1: Nice to meet you, Alice.
W2: ① Sure. No problem.
② Nice to meet you, too.
③ I'm fine, thank you.
④ Sounds good.

19 W1: 안녕, 샘.
M: 안녕, 제인. 여기는 내 누나 앨리스야.
W1: 만나서 반가워요, 앨리스.
W2: ① 물론이죠. 문제없어요.
② 저도 만나서 반가워요.
③ 좋아요, 고마워요.
④ 좋아.

20 G: Sam, where are you going?
B: I'm going to the library. Will you come with me?
G: ① No, I didn't have lunch.
② She isn't my classmate.
③ I go to the library by bus.
④ I'd like to, but I have to go home now.

20 G: 샘, 어디 가니?
B: 나 도서관에 가. 같이 갈래?
G: ① 아니, 나 점심 안 먹었어.
② 그녀는 나의 반 친구야.
③ 나는 버스 타고 도서관에 가.
④ 그러고 싶은데 지금 집에 가야 해.

Word Check

본책 p. 76

01 배구
02 숟가락
03 섬
04 부러워하다
05 신이 난
06 아주 좋아하다
07 노래하다
08 장래, 미래
09 ~을 따라
10 해변
11 청소하다
12 치통
13 주머니
14 의미하다
15 문제

Sentence Check

본책 p. 77

01 You look very excited.
02 What's your favorite food?
03 She is jumping on the bed.
04 I want to be a doctor.
05 What a nice watch!
06 How's the weather today?
07 I walked along the beach with my dog.
08 Could you please turn on the air conditioner?
09 Let's go for a walk today.
10 Watch out!
11 I couldn't sleep because of a toothache.
12 I want to be a singer when I grow up.
13 It's time for lunch.
14 Nice to meet you.
15 I'm going to the library.

1 ①	**2** ④	**3** ①	**4** ③	**5** ④	**6** ②	**7** ④	**8** ③	**9** ②	**10** ②
11 ④	**12** ②	**13** ①	**14** ③	**15** ④	**16** ④	**17** ①	**18** ②	**19** ①	**20** ②

듣기 대본 본책 p. 82

1 M: glasses

2 W: ① happy
② sad
③ excited
④ difficult

3 ① W: Jim, why are you angry?
M: Someone stole my bike.
② W: Jim, what's the matter?
M: I have a cold.
③ W: What did you have for lunch?
M: I had some sandwiches.
④ W: How do you feel today?
M: I feel good.

4 G: Kevin, how was your weekend?
B: It was great. I went to the amusement park with my family.
G: What did you do there?
B: I rode the merry-go-round, the roller coaster, and the bumper cars.

5 M: ① Could you turn on the light?
② What time is it?
③ Can I borrow your pen?
④ Could you close the window?

6 M: Where did you get that T-shirt? It's so cool.
W: I bought it online.
M: Oh, really?
W: Yes, it was on sale.

7 B: Sally, what are you doing?
G: I'm taking pictures of flowers.
B: Where did you get that camera?
G: I got it for my birthday.

8 M: How are you today?
W: ① I'm good.
② I don't feel good today.
③ I'm not hungry.
④ Very well, thank you.

해석

1 M: 안경

2 W: ① 행복한
② 슬픈
③ 흥분한
④ 어려운

3 ① W: 짐, 왜 화가 났어?
M: 누군가 내 자전거를 훔쳐갔어.
② W: 짐, 무슨 일이야?
M: 감기에 걸렸어.
③ W: 점심에 뭐 먹었어?
M: 샌드위치를 좀 먹었어.
④ W: 오늘 기분 어때?
M: 기분 좋아.

4 G: 케빈, 주말 어땠어?
B: 굉장했어. 가족이랑 놀이공원에 갔어.
G: 거기서 뭐했어?
B: 회전목마랑 롤러코스터 그리고 범퍼카를 탔어.

5 M: ① 불을 켜주실래요?
② 몇 시야?
③ 네 펜을 빌릴 수 있니?
④ 창문을 닫아 주실래요?

6 M: 티셔츠 어디서 샀어? 무척 멋지다.
W: 온라인으로 샀어.
M: 오, 정말?
W: 응, 세일 중이었어.

7 B: 샐리야, 뭐하고 있어?
G: 나는 꽃 사진을 찍고 있어.
B: 카메라 어디에서 났어?
G: 내 생일날 받았어.

8 M: 오늘 기분이 어때?
W: ① 좋아.
② 오늘은 기분이 좋지 않아.
③ 배고프지 않아.
④ 아주 좋아, 고마워.

9 M: Are you going to swimming lessons today?
   W: <u>What day</u> is it?
   M: It's <u>Tuesday</u>.
   W: I have swimming lessons on Monday and
      Friday.

9 M: 오늘 수영 강습 가니?
   W: 무슨 요일인데?
   M: 화요일.
   W: 나는 월요일과 금요일에 수영 강습이 있어.

10 G: Do you like soccer?
    B: Not really, but my brother does.
    G: <u>What sport</u> do you like then?
    B: I like <u>volleyball</u>.

10 G: 축구 좋아하니?
    B: 그다지, 하지만 형은 좋아해.
    G: 그럼 너는 어떤 운동 좋아해?
    B: 나는 배구 좋아해.

11 M: ① He is running along the street.
      ② He is <u>swimming</u> in the pool.
      ③ He is carrying a heavy bag.
      ④ He is <u>listening to</u> music.

11 M: ① 그는 길을 따라 달리고 있다.
      ② 그는 수영장에서 수영하고 있다.
      ③ 그는 무거운 가방을 들고 가고 있다.
      ④ 그는 음악을 듣고 있다.

12 W: ① Let's listen to music.
      ② Would you <u>turn down</u> the volume?
      ③ Please <u>turn off</u> the lamp.
      ④ Let's have dinner together.

12 W: ① 음악을 듣자.
      ② 소리 좀 줄여줄래요?
      ③ 등을 꺼 주세요.
      ④ 함께 저녁 먹자.

13 M: ① Don't make a <u>mistake</u> again.
      ② I'm sorry for being late.
      ③ Have a <u>nice day</u>.
      ④ You look nice.

13 M: ① 다시 실수하지 마.
      ② 늦어서 미안해.
      ③ 좋은 하루 보내.
      ④ 너 좋아 보여.

14 ① W: <u>How much</u> is it?
       M: It's 10 dollars.
    ② W: Where is the flower shop?
       M: It's over there.
    ③ W: Where are you <u>from</u>?
       M: I'm <u>going to</u> Busan.
    ④ W: How many brothers do you have?
       M: I don't have any brothers.

14 ① W: 얼마예요?
      M: 10달러요.
    ② W: 꽃집이 어디야?
      M: 저쪽에 있어.
    ③ W: 어디서 왔어?
      M: 부산에 갈 거야.
    ④ W: 형제가 몇 명이니?
      M: 나는 형제가 하나도 없어.

15 M: Amy, let's go out and play tennis.
    W: No, <u>let's not</u>. It's too hot.
      How about playing <u>computer games</u>?
    M: All right.

15 M: 에이미, 나가서 테니스 치자.
    W: 아니, 하지 말자. 너무 더워. 컴퓨터 게임하는 거 어때?
    M: 좋아.

16 W: May I help you?
    M: Yes, I'm looking for <u>some shoes</u>.
    W: What <u>style</u> are you looking for?
    M: Causal shoes.

16 W: 도와드릴까요?
    M: 예, 신발을 좀 찾고 있어요.
    W: 무슨 스타일을 찾으시나요?
    M: 평상복에 신는 신발요.

17 G: Paul, what did you do last Sunday?
  B: I visited my uncle.
  G: Oh, did you? What did you do there?
  B: I worked on the farm. What about you, Sally?
  G: I cleaned my room.

18 W: May I help you?
  M: Yes, please. How much is this baseball cap?
  W: It's 10 dollars.
  M: How much is that blue baseball cap?
  W: It's 8 dollars.
  M: Okay. I will take that blue one.

19 B: Maria, what time do you go to bed?
  G: ① I go to bed at 10.
    ② I get up early.
    ③ I go to school at 8.
    ④ I take a shower before I go to bed.

20 G: Mike, what are you reading?
  B: ① I'm eating pizza.
    ② I'm reading a magazine.
    ③ I want to go to the zoo.
    ④ I don't like reading.

17 G: 폴, 지난 일요일에 뭐했어?
  B: 삼촌댁에 방문했어.
  G: 오, 그랬어? 거기서 뭐했는데?
  B: 농장에서 일했어. 너는 어때, 샐리?
  G: 나는 내 방 청소를 했어.

18 W: 도와드릴까요?
  M: 예, 부탁드려요. 이 야구모자 얼마예요?
  W: 10달러예요.
  M: 저 파란 야구모자는 얼마예요?
  W: 8달러예요.
  M: 좋아요. 저 파란 야구모자로 살게요.

19 B: 마리아, 몇 시에 자러 가?
  G: ① 나는 10시에 자러 가.
    ② 나는 일찍 일어나.
    ③ 나는 8시에 학교에 가.
    ④ 나는 자기 전에 샤워를 해.

20 G: 마이크, 뭐 읽고 있어?
  B: ① 나 피자 먹고 있어.
    ② 나 잡지 읽고 있어.
    ③ 나는 동물원에 가고 싶어.
    ④ 나는 독서를 좋아하지 않아.

Word Check

본책 p. 88

01 흥분한	**04** 누군가	**07** 빌리다	**10** 수업	**13** 볼륨, 소리
02 어려운	**05** 주말	**08** 멋진	**11** 휴대하다	**14** 실수
03 일	**06** 등, 불	**09** 온라인으로	**12** 무거운	**15** 농장

Sentence Check

본책 p. 89

01 Someone stole my bike.
02 I went to the amusement park with my family.
03 Could you close the window?
04 I bought it online.
05 I'm taking pictures of flowers.
06 I don't feel good today.
07 I have swimming lessons on Monday and Friday.
08 What sport do you like?

09 Let's listen to music.
10 Would you turn down the volume?
11 Don't make a mistake.
12 I'm sorry for being late.
13 Let's go out and play tennis.
14 I will take that blue one.
15 I take a shower before I go to bed.

| 1 ④ | 2 ① | 3 ③ | 4 ③ | 5 ③ | 6 ④ | 7 ② | 8 ③ | 9 ④ | 10 ② |
| 11 ③ | 12 ② | 13 ② | 14 ② | 15 ③ | 16 ② | 17 ④ | 18 ① | 19 ④ | 20 ③ |

듣기 대본
본책 p. 94

1 M: ① zebra
② bear
③ lion
④ giraffe

2 W: ① Cheer up! Everything will be okay.
② Long time no see.
③ Sounds good.
④ Thank you for your kindness.

3 B: ① I want some ice cream.
② Let's go shopping.
③ Look! It's snowing.
④ Thank you for your time.

4 G: Do you have any hobbies?
B: I enjoy riding my bike.
G: How often do you ride your bike?
B: Four times a week.

5 M: I eat grass. I have long ears and pretty red eyes. I love to eat carrots.

6 B: Sorry. I'm late.
W: What happened?
B: I got up late this morning, and I missed the school bus.
W: Don't be late for class again.
B: Okay. I won't.

7 M: Susie, do you have any pets?
W: Yes, I have two dogs.
M: Do you walk them every day?
W: Yes, I walk them every day.

8 M: Would you like some water?
W: ① Yes, please.
② No, thanks.
③ Yes, I'm busy now.
④ No, I'm not thirsty.

해석

1 M: ① 얼룩말
② 곰
③ 사자
④ 기린

2 W: ① 기운 내! 모든 일이 잘 될 거야.
② 오랜만이야.
③ 좋아.
④ 친절에 감사드려요.

3 B: ① 아이스크림을 원해요.
② 쇼핑하러 가요.
③ 보세요! 눈이 내리고 있어요.
④ 시간 내 주셔서 감사해요.

4 G: 취미가 있니?
B: 나 자전거 타는 거 좋아해.
G: 얼마나 자주 자전거 타니?
B: 일주일에 네 번.

5 M: 나는 풀을 먹는다. 나는 긴 귀와 예쁜 빨간 눈이 있다. 나는 당근 먹는 것을 아주 좋아한다.

6 B: 죄송합니다. 늦었어요.
W: 무슨 일이야?
B: 아침에 늦게 일어났고 학교 버스를 놓쳤어요.
W: 다시는 수업에 늦지 마라.
B: 예. 안 그럴게요.

7 M: 수지야, 너는 반려동물이 있니?
W: 응, 개가 두 마리 있어.
M: 매일 산책시키니?
W: 응, 매일 그들을 산책시켜.

8 M: 물을 좀 드릴까요?
W: ① 예, 그렇게 해 주세요.
② 아니요, 감사합니다.
③ 예, 전 지금 바빠요.
④ 아니요, 목마르지 않아요.

9 W: What's the <u>date</u> today?
M: It's October 1.
W: My <u>birthday</u> is coming soon.
M: Oh, when is it?
W: It's <u>October</u> 10.

9 W: 오늘 며칠이야?
M: 10월 1일.
W: 내 생일이 곧 다가와.
M: 오, 언제야?
W: 10월 10일.

10 G: Who is that man over there?
B: He's <u>my uncle</u>.
G: Really? Your uncle is very tall and handsome. <u>How</u> old is he?
B: He is <u>29</u> years old.

10 G: 저쪽에 있는 남자 누구야?
B: 내 삼촌이야.
G: 정말? 삼촌이 매우 키가 크고 잘생기셨다. 나이가 몇 살이야?
B: 29살이야.

11 W: ① There is a cat <u>under</u> the table.
② There is a cat behind the table.
③ There is a cat <u>on</u> the table.
④ There is a cat <u>next to</u> the table.

11 W: ① 탁자 아래에 고양이가 있다.
② 탁자 뒤에 고양이가 있다.
③ 탁자 위에 고양이가 있다.
④ 탁자 옆에 고양이가 있다.

12 ① W: How would you like your steak?
M: Medium, please.
② W: Oh! The line is <u>very long</u>.
M: This restaurant is very <u>popular</u> among the younger people.
③ W: Are you <u>busy</u> now?
M: No, I'm <u>free</u> today.
④ W: When is the concert?
M: The concert is next Friday.

12 ① W: 스테이크 어떻게 구워드릴까요?
M: 중간 굽기로 해주세요.
② W: 오! 줄이 정말 길다.
M: 이 식당이 젊은 사람들 사이에서 매우 인기 있어.
③ W: 너 지금 바빠?
M: 아니, 오늘 한가해.
④ W: 콘서트가 언제야?
M: 다음 주 금요일이야.

13 B: How about <u>playing tennis</u> this Saturday?
G: I'm sorry, but I can't. I have to go to Busan.
B: Why?
G: I'm going to <u>attend</u> my uncle's <u>wedding</u>.

13 B: 토요일에 테니스 치는 거 어때?
G: 미안, 못 해. 나 부산에 가야 해.
B: 왜?
G: 삼촌 결혼식에 참석할 거야.

14 ① M: Do you have any brothers?
W: No, I don't.
② M: <u>Who</u> is he?
W: He is <u>in the room</u>.
③ M: Where are you <u>from</u>?
W: I'm from Sydney, Australia.
④ M: What are you going to do tomorrow?
W: I will stay at home.

14 ① M: 너는 형제가 있니?
W: 아니, 없어.
② M: 그는 누구야?
W: 그는 방에 있어.
③ M: 어디서 왔어?
W: 나는 호주 시드니에서 왔어.
④ M: 내일 뭐할 거야?
W: 나는 집에 있을 거야.

15 M: May I take your order?
W: Yes, I want some <u>bread</u> and <u>milk</u>.
M: Sorry, we have no milk. How about <u>orange juice</u>?
W: Okay.

15 M: 주문하시겠어요?
W: 예, 빵이랑 우유 주세요.
M: 죄송한데, 지금 우유가 없어요. 오렌지 주스는 어떠세요?
W: 좋아요.

16 B: Cathy, what are you doing?
G: I'm looking for <u>my doll</u>.
B: Is this your doll?
G: No, it isn't. My doll has <u>long hair</u> and is wearing a <u>white dress</u>.
B: Oh, I see.

16 B: 캐시, 뭐하고 있어?
G: 내 인형을 찾고 있어.
B: 이게 네 인형이니?
G: 아니야. 내 인형은 긴 머리에 하얀 드레스를 입고 있어.
B: 오, 알았어.

17 G: Paul, what are you doing?
B: I'm practicing the <u>violin</u>.
G: What other musical instruments can you play?
B: I can <u>play</u> the <u>guitar</u> and the <u>piano</u>.
G: That's cool. How about the flute? Can you play the flute?
B: No, I can't.

18 B: I'm going to the park with Tina. Do you want to <u>join us</u>?
G: ① Sorry, I can't. I'm <u>tired</u>.
② No thanks. I'm full.
③ I don't have sunglasses.
④ You <u>look great</u> today.

19 G: Sam, <u>did you</u> have a good weekend?
B: ① No problem.
② Yes, I like the weekend.
③ No, I don't have any plans.
④ Yes, I <u>did</u>.

20 W: May I help you?
B: I'm looking for some pants. <u>How much</u> are these pants?
W: They're only 10 dollars.
B: May I <u>try</u> these <u>on</u>?
W: ① You're welcome.
② Yes, it's very delicious.
③ Sure. Go ahead.
④ Sure. I'd love to.

17 G: 폴, 뭐하고 있어?
B: 바이올린 연습하고 있어.
G: 다른 무슨 악기도 연주할 수 있어?
B: 기타랑 피아노를 할 수 있어.
G: 멋지다. 플루트는 어때? 플루트 연주할 수 있어?
B: 아니, 못 해.

18 B: 나 티나랑 공원갈 거야. 우리랑 같이 갈래?
G: ① 미안, 갈 수 없어. 나 피곤해.
② 아니, 고마워. 배불러.
③ 나 선글라스가 없어.
④ 너 오늘 좋아 보인다.

19 G: 샘, 주말 잘 보냈니?
B: ① 문제없어.
② 응, 나 주말을 좋아해.
③ 아니, 어떤 계획도 없어.
④ 응, 그랬어.

20 W: 도와드릴까요?
B: 바지를 좀 찾고 있어요. 이 바지는 얼마예요?
W: 10달러밖에 안 해요.
B: 입어 봐도 되나요?
W: ① 천만예요.
② 예. 무척 맛있어요.
③ 물론이죠. 입어보세요.
④ 물론이죠. 나도 그러고 싶어요.

Word Check 본책 p. 100

01 얼룩말	**04** 놓치다	**07** 잘생긴	**10** 인기 있는	**13** 인형
02 기린	**05** 산책시키다	**08** 중간의	**11** 참석하다	**14** 선글라스
03 친절	**06** 목마른	**09** 식당	**12** 결혼식	**15** 바지

Sentence Check 본책 p. 101

01 Cheer up!
02 Thank you for your time.
03 I enjoy riding my bike.
04 I got up late this morning.
05 Don't be late for class again.
06 I walk them every day.
07 Would you like some water?
08 My birthday is coming soon.

09 Your uncle is very tall and handsome.
10 The restaurant is very popular among the younger people.
11 I'm going to attend my uncle's wedding.
12 May I take your order?
13 I'm practicing the violin.
14 You look great today.
15 No problem.

1 ③	**2** ④	**3** ②	**4** ②	**5** ④	**6** ②	**7** ④	**8** ③	**9** ③	**10** ④
11 ③	**12** ③	**13** ②	**14** ②	**15** ③	**16** ④	**17** ②	**18** ④	**19** ④	**20** ③

듣기 대본   본책 p. 106

1 M: ① happy
　② excited
　③ angry
　④ sad

2 W: ① notebook
　② pencil
　③ eraser
　④ classroom

3 G: ① I'm really tired.
　② Please, be quiet.
　③ Oh, that's too bad.
　④ Can I borrow your book?

4 G: What do you do after school?
　B: I usually do my homework after school.
　G: What do you do after dinner?
　B: After dinner, I take a walk with my mom.

5 M: I'm a big animal. I can run very fast. I have a long tail. I like carrots.

6 M: May I help you?
　G: Yes, I'm looking for a notebook. How much is the blue notebook?
　M: It's 5 dollars.
　G: How much is the red notebook?
　M: It's 4 dollars.
　G: I will take the red one.

7 G: Paul, what are you going to do after school?
　B: I'm going to ride my bike with my friends.
　G: Do you always wear a helmet when you go bike riding?
　B: Yes, I do.

해석

1 M: ① 행복한
　② 신이 난
　③ 화난
　④ 슬픈

2 W: ① 공책
　② 연필
　③ 지우개
　④ 교실

3 G: ① 나는 정말 피곤하다.
　② 조용히 해 주세요.
　③ 오, 너무 안됐다.
　④ 네 책을 빌릴 수 있니?

4 G: 방과 후에 뭐해?
　B: 방과 후에는 보통 숙제를 해.
　G: 저녁 먹고는 뭐해?
　B: 저녁 먹고는 엄마랑 산책을 해.

5 M: 나는 큰 동물이다. 나는 매우 빨리 달린다.
　나는 긴 꼬리를 가지고 있다. 나는 당근을 좋아한다.

6 M: 도와드릴까요?
　G: 예, 공책을 찾고 있어요. 그 파란 공책은 얼마예요?
　M: 5달러예요.
　G: 그 빨간 공책은 얼마예요?
　M: 4달러예요.
　G: 빨간 것으로 살게요.

7 G: 폴, 방과 후에 뭐할 거야?
　B: 친구들이랑 자전거를 탈 거야.
　G: 너는 자전거 탈 때 항상 헬멧을 쓰니?
　B: 응, 그래.

8 ① M: Do you have time tomorrow?
   W: Yes, I do. Why?
   ② M: I feel hungry. <u>Let's</u> <u>eat</u> something.
   W: That's a good idea.
   ③ M: Can you come to my birthday party?
   W: <u>What</u> a nice <u>party</u>!
   ④ M: What are you going to do this weekend?
   W: I'm going to play baseball with my friends.

8 ① M: 내일 시간 있니?
   W: 응, 있어. 왜?
   ② M: 배고파. 뭐라도 먹자.
   W: 좋은 생각이야.
   ③ M: 내 생일 파티에 올 수 있니?
   W: 무척 멋진 파티구나!
   ④ M: 이번 주말에 뭐할 거야?
   W: 친구들이랑 야구할 거야.

9 M: What are you doing?
   W: I'm drawing <u>pictures</u>.
   M: What are you <u>drawing</u>?
   W: I'm drawing pictures of <u>flowers</u>.

9 M: 뭐하고 있니?
   W: 나 그림 그리고 있어.
   M: 뭐 그리고 있어?
   W: 꽃을 그리고 있어.

10 B: How was your <u>weekend</u>, Julia?
   G: It was great. I went to Busan with my family.
   B: What did you do there?
   G: I <u>played</u> at the beach and <u>swam</u> in the sea.
   B: Sounds great.

10 B: 주말 어땠어, 줄리아?
   G: 멋졌어. 가족이랑 부산에 갔어.
   B: 거기서 뭐했는데?
   G: 해변에서 놀고 바다에서 수영했어.
   B: 멋지다.

11 W: ① There are students in the classroom.
   ② The students are <u>sitting</u> on the chairs.
   ③ There is a <u>map</u> on the wall.
   ④ There are books on the <u>shelf</u>.

11 W: ① 교실에 학생들이 있다.
   ② 학생들이 의자에 앉아 있다.
   ③ 벽에는 지도가 있다.
   ④ 선반에는 책들이 있다.

12 M: May I help you?
   W: Yes, I'm looking for some <u>socks</u>.
   M: How about these? They're on sale.
   W: How much are they?
   M: They are <u>3</u> <u>dollars</u>.
   W: Okay. I'll <u>take</u> them.

12 M: 도와드릴까요?
   W: 예, 양말을 좀 찾고 있어요.
   M: 이것들 어때요? 할인 중이에요.
   W: 얼마예요?
   M: 3달러예요.
   W: 좋아요. 그걸로 살게요.

13 B: Mom. What are you making?
   W: I am <u>making</u> spaghetti for <u>dinner</u>.
   B: Wow, it smells so good. Is there anything I can do for you?
   W: Can you <u>set</u> the <u>table</u>?
   B: Sure, no problem.

13 B: 엄마, 뭐 만들고 계세요?
   W: 저녁에 먹을 스파게티를 만들고 있어.
   B: 와우, 냄새가 무척 좋아요. 도와드릴 게 있나요?
   W: 상을 좀 차려줄래?
   B: 물론이죠, 문제없어요.

14 M: Who is that woman at the door?
   W: She's <u>my</u> <u>aunt</u>.
   M: Does she live with you?
   W: No, she doesn't. She <u>lives</u> <u>in</u> Suwon.
   She will stay at my house this weekend.

14 M: 문에 있는 저 여자 누구야?
   W: 내 이모야.
   M: 이모가 너랑 같이 살아?
   W: 아니. 수원에 사셔. 이번 주말에 우리 집에 계실 거야.

15 M: Cindy, do you have an <u>umbrella</u>?
   W: No, I don't. Why?
   M: It's <u>raining</u> <u>outside</u>.
   W: Can I <u>borrow</u> your umbrella?
   M: Sure. No problem.

15 M: 신디, 우산 있니?
   W: 아니, 없어. 왜?
   M: 밖에 비가 오고 있어.
   W: 네 우산 빌릴 수 있니?
   M: 물론이지. 문제없어.

16 G: Mike, can you come to my birthday party today?
B: I'd like to, but I can't. I have to go to the hospital.
G: Why?
B: My brother had a car accident, and he is in the hospital.

16 G: 마이크, 오늘 내 생일 파티에 올 수 있니?
B: 그러고 싶은데, 갈 수 없어. 나 병원에 가야 해.
G: 왜?
B: 형이 교통사고를 당해서 병원에 입원해 있어.

17 W: We have to hurry. The train will leave soon.
M: What? What time is it now?
W: It's 2:10.
M: Oh, we are late. Let's run to the station.

17 W: 우리 서둘러야 해. 기차가 곧 떠날 거야.
M: 뭐라고? 지금 몇 시인데?
W: 2시 10분.
M: 오, 우리 늦었다. 역까지 뛰자.

18 M: ① Do you like apples?
② How are you today?
③ Is there a book on the table?
④ Can I use your pencil?

18 M: ① 너 사과 좋아해?
② 오늘 기분이 어때?
③ 식탁 위에 책이 있니?
④ 네 연필을 써도 되니?

19 G: How much money do you have now?
B: ① I have some milk.
② I have three pencils.
③ It's 10 dollars.
④ I don't have any money.

19 G: 너 지금 돈 얼마나 있어?
B: ① 나는 우유가 좀 있어.
② 나는 연필이 세 자루 있어.
③ 그것은 10달러야.
④ 나는 돈이 하나도 없어.

20 M: Excuse me. Is there a post office around here?
W: Yes, go straight and turn left.
The post office is next to the flower shop.
M: ① You're welcome.
② It's my pleasure.
③ Thank you very much.
④ I'm happy to meet you.

20 M: 실례합니다. 여기 근처에 우체국이 있나요?
W: 예, 곧장 가서 왼쪽으로 도세요.
우체국은 꽃집 옆에 있어요.
M: ① 천만에요.
② 제 즐거움이죠.
③ 매우 감사합니다.
④ 당신을 만나서 행복해요.

Word Check   본책 p. 112

01 공책	**04** 보통	**07** 내일	**10** 벽	**13** 떠나다
02 조용한	**05** 숙제	**08** 그림	**11** 선반	**14** 곧
03 빌리다	**06** 항상, 언제나	**09** 가족	**12** 밖에	**15** 역

Sentence Check   본책 p. 113

01 Please, be quiet.

02 I usually do my homework after school.

03 How much is the blue notebook?

04 I'm going to ride my bike with my friends.

05 I played at the beach and swam in the sea.

06 There is a map on the wall.

07 They're on sale.

08 It smells so good.

09 She will stay at my house this weekend.

10 It's raining outside.

11 My brother had a car accident.

12 The train will leave soon.

13 Let's run to the station.

14 I don't have any money.

15 Go straight and turn left.

| **1** ② | **2** ④ | **3** ① | **4** ② | **5** ④ | **6** ② | **7** ① | **8** ③ | **9** ④ | **10** ④ |
| **11** ④ | **12** ② | **13** ③ | **14** ② | **15** ① | **16** ② | **17** ③ | **18** ② | **19** ④ | **20** ② |

듣기 대본
본책 p. 118

1 W: ① chair
  ② desk
  ③ baseball cap
  ④ sofa

2 M: ① apple
  ② banana
  ③ orange
  ④ cheese

3 G: What are you doing now?
  B: I'm looking for my gloves.
  G: What color are they?
  B: They are green.

4 ① G: It's time to go to bed.
  B: Already? Can I play some more computer games?
  ② G: I got an A on my math test.
  B: Good for you!
  ③ G: Where is your book?
  B: It's on the desk.
  ④ G: You look sad. What happened?
  B: I lost my notebook.

5 B: ① Can you help me?
  ② Can I have some coffee?
  ③ Would you stop drinking?
  ④ Would you stop smoking?

6 M: May I help you?
  G: Yes, I'm looking for a pen. Oh, I like this pen. How much is it?
  M: It's 2 dollars. How many pens do you need?
  G: I need two pens.

7 M: Where is Susie?
  W: She is in the garden.
  M: What is she doing in the garden?
  W: She is watering flowers.

해석

1 W : ① 의자
  ② 책상
  ③ 야구모자
  ④ 소파

2 M : ① 사과
  ② 바나나
  ③ 오렌지
  ④ 치즈

3 G : 너 지금 뭐하고 있어?
  B : 내 장갑을 찾고 있어.
  G : 무슨 색인데.
  B : 초록색이야.

4 ① G : 잘 시간이야.
  B : 벌써? 컴퓨터 게임 조금 더 해도 되니?
  ② G : 수학 시험에서 A 받았어.
  B : 잘했어!
  ③ G : 네 책 어디에 있어?
  B : 책상 위에 있어.
  ④ G : 너 슬퍼 보여. 무슨 일이야?
  B : 내 공책을 잃어버렸어.

5 B : ① 저를 도와주실 수 있나요?
  ② 커피 좀 마실 수 있나요?
  ③ 음주를 멈춰 주실래요?
  ④ 담배 피우는 것을 멈춰 주실래요?

6 M : 도와드릴까요?
  G : 예, 펜을 찾고 있어요. 오, 이 펜이 마음에 들어요. 얼마예요?
  M : 2달러예요. 얼마나 많이 필요해요?
  G : 2개 필요해요.

7 M : 수지 어디 있어?
  W : 정원에 있어.
  M : 정원에서 뭐해?
  W : 꽃에 물을 주고 있어.

8 ① M: Is this your bike?
　　W: Yes, it is.
　② M: What is your <u>favorite</u> <u>food</u>?
　　W: I like spaghetti.
　③ M: Can I borrow your pencil?
　　W: No, <u>thank</u> <u>you</u>.
　④ M: When is your birthday?
　　W: It's March 10.

8 ① M: 이게 네 자전거니?
　　W: 응, 그래.
　② M: 네가 좋아하는 음식이 뭐야?
　　W: 나 스파게티 좋아해.
　③ M: 네 연필 좀 빌릴 수 있니?
　　W: 아니, 고마워.
　④ M: 네 생일이 언제야?
　　W: 3월 10일이야.

9 B: What are you doing, Mom?
　W: I'm <u>cooking</u> <u>dinner</u>. Are you hungry?
　B: Yes, I'm very hungry.
　W: Dinner will be ready soon. Can you <u>set</u> <u>the</u> <u>table</u>?
　B: Okay, Mom.

9 B: 뭐하고 계세요, 엄마?
　W: 저녁 요리하고 있어. 배고프니?
　B: 예, 무척 배고파요.
　W: 저녁이 곧 준비될 거야. 상 좀 차려줄래?
　B: 예, 엄마.

10 W: What can I do for you?
　B: I want to buy <u>some</u> <u>flowers</u> for my mom.
　W: What kind of flowers do you want?
　B: I want some <u>red</u> <u>roses</u>.
　W: Oh, I see.

10 W: 무엇을 도와드릴까요?
　B: 엄마에게 드릴 꽃을 좀 사고 싶어요.
　W: 어떤 종류의 꽃을 원해요?
　B: 빨간 장미를 좀 원해요.
　W: 오, 알았어요.

11 W: ① A woman is reading a book.
　　② There is a <u>clock</u> on the wall.
　　③ There are many books in the <u>bookcase</u>.
　　④ A man is wearing a <u>red</u> <u>shirt</u>.

11 W: ① 여자가 책을 읽고 있다.
　　② 벽에 시계가 있다.
　　③ 책장에 책들이 많이 있다.
　　④ 남자가 빨간 셔츠를 입고 있다.

12 M: ① I'm sorry, but I can't.
　　② That's a <u>great</u> <u>idea</u>.
　　③ That's <u>too</u> <u>bad</u>.
　　④ I'm happy to meet you.

12 M: ① 미안한데, 할 수 없어.
　　② 훌륭한 생각이야.
　　③ 무척 안됐다.
　　④ 너를 만나서 행복해.

13 M: Can you <u>come</u> <u>to</u> my birthday party tomorrow?
　W: Sure. What time is your party?
　M: It's at 7.
　W: Thanks. I'll <u>be</u> <u>there</u>.
　M: Okay. See you then.

13 M: 내일 내 생일 파티에 올 수 있니?
　W: 물론이지. 네 파티가 몇 시야?
　M: 7시야.
　W: 고마워. 거기 갈게.
　M: 좋아. 그때 보자.

14 G: Sam, where are you going?
　B: I'm going to the convenience store.
　G: <u>Why</u>?
　B: I'm going on a school <u>field</u> <u>trip</u> tomorrow, so I need some snacks.
　G: Oh, I see.

14 G: 샘, 어디 가고 있어?
　B: 편의점에 가고 있어.
　G: 왜?
　B: 내일 학교 현장 학습을 가서 간식이 좀 필요해.
　G: 오, 알겠어.

15 W: Did you go to the movies yesterday?
　M: No. I <u>stayed</u> <u>home</u> all day.
　W: Why did you stay home?
　M: My puppies <u>were</u> <u>sick</u>. I had to take care of them.

15 W: 어제 영화 보러 갔니?
　M: 아니. 하루 종일 집에 있었어.
　W: 왜 집에 있었는데?
　M: 강아지들이 아팠어. 내가 그들을 돌봐야만 했어.

16 M: Would you like some dessert?
G: Yes, please.
M: What would you like to have?
G: Ice cream, please.

16 M: 디저트 좀 드릴까요?
G: 예, 주세요.
M: 뭐 드릴까요?
G: 아이스크림 주세요.

17 M: I'm going to the shopping mall this evening.
W: Are you? Let's go there together.
M: Sounds good. What time shall we meet?
W: Well, it's 2:30 p.m. now. Then, how about meeting at 6:30 p.m. at the subway station?
M: Okay. See you then.

17 M: 저녁에 쇼핑몰에 갈 거야.
W: 네가? 거기 같이 가자.
M: 잘됐다. 우리 몇 시에 만날까?
W: 음, 지금이 2시 30분이니까. 지하철역에서 6시 30분에 만나는 거 어때?
M: 좋아. 그때 보자.

18 B: How about going to the zoo tomorrow?
G: ① I'm sorry, but I can't.
② We go to the zoo by bus.
③ That's a good idea.
④ I'd like to, but I have to help my mom.

18 B: 내일 동물원에 가는 거 어때?
G: ① 그러고 싶은데 갈 수 없어.
② 우리는 버스로 동물원에 간다.
③ 좋은 생각이야.
④ 그러고 싶은데 엄마를 도와드려야 해.

19 W: How many sisters do you have?
M: ① I don't have any brothers.
② I love my brothers.
③ My brother likes playing soccer.
④ I have two older sisters.

19 W: 너는 여자 형제가 얼마나 있어?
M: ① 나는 형제가 하나도 없어.
② 나는 내 형제들을 사랑해.
③ 내 형은 축구하는 거 좋아해.
④ 나는 누나가 둘 있어.

20 W: Can I help you?
M: Two hamburgers, please.
W: What would you like to drink?
M: ① Here you are.
② Two sodas, please.
③ Thank you very much.
④ I don't have money now.

20 W: 도와드릴까요?
M: 햄버거 두 개 주세요.
W: 마실 것은 무얼 드릴까요?
M: ① 여기 있어요.
② 탄산음료 두 개 주세요.
③ 무척 감사합니다.
④ 지금 돈이 없어요.

Word Check
본책 p. 124

01 이미, 벌써	**05** 물을 주다	**09** 여자	**13** 간식
02 음주(술을 마시는 것)	**06** 좋아하는	**10** 시계	**14** 영화
03 흡연(담배 비우는 것)	**07** 요리하다	**11** 책장	**15** 디저트
04 정원	**08** 준비된	**12** 거기에	

Sentence Check
본책 p. 125

01 It's time to go to bed.
02 I got an A on my math test.
03 Good for you!
04 She is watering flowers.
05 What is your favorite food?
06 Dinner will be ready soon.
07 I want to buy some flowers for my mom.
08 There are many books in the bookcase.

09 That's too bad.
10 What time is your party?
11 I'm going to the convenience store.
12 I stayed home all day.
13 I had to take care of my puppies.
14 Let's go there together.
15 We go to the zoo by bus.

1 ②	**2** ③	**3** ③	**4** ①	**5** ④	**6** ③	**7** ①	**8** ③	**9** ④	**10** ①
11 ④	**12** ③	**13** ①	**14** ①	**15** ④	**16** ④	**17** ③	**18** ②	**19** ③	**20** ④

듣기 대본 본책 p. 130

해석

1 W: shorts

1 W: 반바지

2 W: ① tiger
② cow
③ tree
④ bear

2 W: ① 호랑이
② 소
③ 나무
④ 곰

3 G: What's your favorite sport?
B: I love baseball. How about you?
G: I like skiing best. It's very exciting.

3 G: 네가 좋아하는 스포츠가 뭐야?
B: 나는 야구 좋아해. 너는 어때?
G: 나는 스키 타는 것을 가장 좋아해. 무척 신이 나.

4 W: Can I help you?
B: Yes, I'd like to borrow this book.
W: Do you have a library card?
B: Yes, here you are.

4 W: 도와드릴까요?
B: 예, 이 책을 빌리고 싶어요.
W: 도서관 카드 있어요?
B: 예, 여기 있어요.

5 W: ① Look at this sign. You can't eat here.
② Look at this sign. You can't park here.
③ Look at this sign. You can't make a call here.
④ Look at this sign. You can't take pictures here.

5 W: ① 이 표시를 보세요. 여기서 먹으면 안 돼요.
② 이 표시를 보세요. 여기에 주차하면 안 돼요.
③ 이 표시를 보세요. 여기서 전화하면 안 돼요.
④ 이 표시를 보세요. 여기서 사진을 찍으면 안 돼요.

6 B: How was your weekend, Julie?
G: It was pretty good.
B: What did you do?
G: I went shopping. I bought new shoes.
How about you?
B: I stayed home and studied for the test.

6 B: 주말 어땠어, 줄리?
G: 꽤 좋았어.
B: 뭐했는데?
G: 나 쇼핑 갔어. 새 신발을 샀어. 너는 어때?
B: 나는 집에 있으면서 시험 공부했어.

7 W: Alice is my sister. She is wearing a red dress.
She is wearing glasses, too.

7 W: 앨리스는 내 여동생이다. 그녀는 빨간 원피스를 입고 있
다. 그녀는 안경도 쓰고 있다.

8 M: I am very big. I have a long nose and big ears.
I have four legs. I live in Asia or Africa.

8 M: 나는 크다. 나는 긴 코와 큰 귀를 가지고 있다.
나는 다리가 네 개다. 나는 아시아나 아프리카에서 산다.

9 ① M: What kind of movie do you like?
W: I like action movies.
② M: What is your name?
W: I'm Julia Roberts.
③ M: Can you play the guitar?
W: No, I can't.
④ M: Where is your bag?
W: It's not my bag.

9 ① M: 너는 무슨 종류의 영화를 좋아해?
W: 나는 액션 영화 좋아해.
② M: 네 이름이 뭐야?
W: 나는 줄리아 로버츠야.
③ M: 기타 칠 수 있니?
W: 아니, 못 쳐.
④ M: 네 가방 어디에 있어?
W: 그것은 내 가방이 아니야.

10 M: May I help you?

W: Yes, I want some <u>cucumbers</u> and <u>carrots</u>.

M: We have very fresh cucumbers and carrots.

W: I need <u>five</u> cucumbers and <u>three</u> carrots. How much are they?

M: They are 5 dollars.

10 M: 도와드릴까요?

W: 예, 오이랑 당근을 좀 사려고요.

M: 저희는 아주 신선한 오이와 당근이 있어요.

W: 오이 다섯 개와 당근 세 개가 필요해요. 얼마예요?

M: 5달러예요.

11 M: ① It's very delicious.

② <u>Sounds</u> <u>good</u>.

③ Thank you very much.

④ <u>Don't</u> <u>worry</u>. You'll do well.

11 M: ① 무척 맛이 있어.

② 좋은 거 같아.

③ 무척 고마워.

④ 걱정하지 마. 잘 될 거야.

12 B: ① Let's sing together.

② May I borrow your baseball cap?

③ Pass me <u>the</u> <u>ball</u>.

④ Please pass me <u>the</u> <u>salt</u>.

12 B: ① 함께 노래하자.

② 네 야구모자를 빌려도 되니?

③ 공을 패스해.

④ 소금을 건네 주세요.

13 W: David, do you like this amusement part?

B: I love <u>this</u> <u>place</u>.

W: Why do you like this park?

B: There are a lot of rides, like <u>roller</u> <u>coasters</u>, the Viking boat, and the merry-go-round.

13 W: 데이비드, 이 놀이공원 마음에 들어?

B: 이 장소가 아주 좋아요.

W: 이 공원이 왜 좋아?

B: 롤러코스터, 바이킹과 회전목마 같은 탈 것이 많아서요.

14 M: What time do you have dinner?

W: I have dinner at 6:30. After dinner, I usually <u>watch</u> TV. What do you do after dinner?

M: I have <u>swimming</u> <u>lessons</u> at 8.

14 M: 저녁 몇 시에 먹어?

W: 6시 30분에 먹어. 저녁 먹고 난 후에는 보통 TV를 봐. 너는 저녁 먹고 뭐해?

M: 나는 8시에 수영 수업이 있어.

15 W: Paul, you have to <u>walk</u> to school today.

B: Why, Mom?

W: It's <u>snowing</u> outside.

B: Oh, really?

W: Yes. Riding a bike in the snow is very <u>dangerous</u>.

15 W: 폴, 오늘 학교에 걸어가야겠다.

B: 왜요, 엄마?

W: 밖에 눈이 오고 있어.

B: 오, 정말요?

W: 응. 눈길에 자전거 타는 것은 매우 위험해.

16 G: What a great concert!

B: Right. She is a great singer.

G: I want to be <u>a</u> <u>singer</u> like her. How about you? What do you want to be?

B: I want to be <u>a</u> <u>chef</u>. I like to cook.

16 G: 무척 훌륭한 콘서트구나!

B: 맞아. 그녀는 훌륭한 가수야.

G: 나는 그녀처럼 가수가 되고 싶어. 너는 어때? 너는 뭐가 되고 싶어?

B: 나는 요리사가 되고 싶어. 나는 요리하는 것을 좋아해.

17 M: What are you doing, Jennie?

G: I'm <u>looking</u> <u>for</u> my cellphone. Have you seen it?

M: Yes. I saw it <u>on</u> <u>the</u> <u>sofa</u> a few minutes ago.

G: Thanks, Dad.

17 M: 뭐하고 있니, 제니?

G: 제 휴대전화를 찾고 있어요. 보셨어요?

M: 응. 조금 전에 소파 위에서 봤어.

G: 감사해요, 아빠.

18 W: <u>Have</u> some more cake.
   M: ① It's not my cake.
   　② <u>Thank you</u>.
   　③ I'm sorry, but I can't cook.
   　④ I don't like pizza.

19 M: <u>What</u> are you eating, Jane?
   W: ① I don't have any cookies.
   　② No, thank you. I'm on a diet.
   　③ <u>I'm eating</u> chocolate cookies.
   　④ I'm going to the market.

20 G: Are you going to Canada for <u>summer vacation</u>?
   B: Yes, I'll go there with my parents.
   G: <u>How long</u> are you going to stay there?
   B: ① We will go by plane.
   　② We will stay at a hotel.
   　③ I will study English.
   　④ We will stay there for two weeks.

18 W: 케이크 더 먹어.
   M: ① 이것은 내 케이크가 아니야.
   　② 고마워.
   　③ 미안한데, 나 요리를 못 해.
   　④ 나는 피자를 좋아하지 않아.

19 M: 뭐 먹고 있어, 제인?
   W: ① 나는 쿠키가 하나도 없어.
   　② 아니, 고마워. 다이어트 중이야.
   　③ 나 초콜릿 쿠키 먹고 있어.
   　④ 나는 시장에 가고 있어.

20 G: 너 방학에 캐나다 갈 거야?
   B: 응, 부모님이랑 거기에 갈 거야.
   G: 얼마 동안 거기에 머무를 거야?
   B: ① 우리는 비행기로 갈 거야.
   　② 우리는 호텔에서 머무를 거야.
   　③ 나는 영어를 공부할 거야.
   　④ 우리는 2주 동안 머무를 거야.

Word Check
본책 p. 136

01 신이 난	**04** 꽤	**07** 맛있는	**10** 전달하다	**13** 요리사
02 가장	**05** 머무르다	**08** 걱정하다	**11** 탈것	**14** 휴대전화
03 표시, 간판	**06** 오이	**09** 함께	**12** 위험한	**15** 전에

Sentence Check
본책 p. 137

01 I'd like to borrow this book.
02 You can't take pictures here.
03 I stayed home and studied for the test.
04 I like action movies.
05 We have very fresh cucumbers and carrots.
06 Don't worry. You'll do well.
07 Pass me the ball.
08 There are a lot of rides.

09 I have swimming lessons at 8.
10 It's snowing outside.
11 Riding a bike in the snow is very dangerous.
12 What a great concert!
13 I saw it on the sofa a few minutes ago.
14 Have some more cake.
15 I'm on a diet.

1 ②	2 ④	3 ④	4 ③	5 ③	6 ③	7 ④	8 ③	9 ④	10 ④
11 ③	12 ③	13 ②	14 ③	15 ①	16 ①	17 ③	18 ②	19 ②	20 ②

듣기 대본
본책 p. 142

해석

1 W: ① candy
　　② bread
　　③ rice
　　④ noodles

1 W: ① 사탕
　　② 빵
　　③ 밥
　　④ 국수

2 M: ① bus
　　② taxi
　　③ subway
　　④ ticket

2 M: ① 버스
　　② 택시
　　③ 지하철
　　④ 표

3 G: Tony is my best friend. He's from Canada.
　　He is wearing a white T-shirt and blue pants.
　　He has short hair.

3 G: 토니는 나의 가장 친한 친구다. 그는 캐나다에서 왔다.
　　그는 하얀 티셔츠에 파란색 바지를 입고 있다.
　　그는 짧은 머리다.

4 G: What did you do last weekend?
　　B: I went fishing with my dad.
　　G: Do you like fishing?
　　B: Yes, I sometimes go fishing with my dad.

4 G: 지난 주말에 뭐했어?
　　B: 아빠랑 낚시하러 갔어.
　　G: 너 낚시 좋아하니?
　　B: 응, 나는 때때로 아빠랑 낚시하러 가.

5 G: ① It's my favorite food.
　　② Let's study together.
　　③ It's going to rain soon.
　　④ Look at the bird in the sky.

5 G: ① 그것은 내가 좋아하는 음식이야.
　　② 함께 공부하자.
　　③ 곧 비가 올 거 같아.
　　④ 하늘에 새를 봐.

6 B: What's wrong? You look sad.
　　G: I had an English test today.
　　B: How was the test?
　　G: I got a C.
　　B: Cheer up! You will do better next time.

6 B: 무슨 일이야? 슬퍼 보여.
　　G: 오늘 영어 시험을 봤어.
　　B: 시험 어땠어?
　　G: 나 C를 받았어.
　　B: 기운 내! 다음에는 더 잘할 거야.

7 W: Can I try this dress on?
　　M: Sure. The fitting room is over there.

7 W: 이 원피스 입어 봐도 되나요?
　　M: 물론이죠. 탈의실은 저쪽에 있어요.

8 B: Do you like hamburgers?
　　G: No, I don't like fast food.
　　B: Then, what's your favorite food?
　　G: I like fried rice.

8 B: 너 햄버거 좋아하니?
　　G: 아니, 난 패스트푸드는 좋아하지 않아.
　　B: 그러면, 네가 좋아하는 음식은 뭐야?
　　G: 나는 볶음밥 좋아해.

9 ① W: What kind of music do you like?
M: I like classical music.
② W: Can I have some coffee?
M: Sure. No problem.
③ W: Did you make this cake?
M: No, I didn't.
④ W: How much money do you have?
M: It's not my money.

9 ① W: 어떤 종류의 음악을 좋아해?
M: 나는 고전음악을 좋아해.
② W: 커피 마셔도 되나요?
M: 물론이죠. 문제없어요.
③ W: 이 케이크 만들었니?
M: 아니, 안 만들었어.
④ W: 돈을 얼마나 가지고 있니?
M: 그것은 내 돈이 아니야.

10 M: I'm tired and sleepy.
W: What happened, Mike?
M: I didn't sleep well last night.
W: Why?
M: I had a bad dream.

10 M: 나 피곤하고 졸려.
W: 무슨 일이야, 마이크?
M: 나 어젯밤에 잠을 못 잤어.
W: 왜?
M: 나쁜 꿈을 꿨어.

11 M: ① Thank you for your time.
② You're so kind.
③ Don't be sad. You will do better next time.
④ I'm happy to see you again.

11 M: ① 시간 내줘서 고마워.
② 너 정말 친절하구나.
③ 슬퍼하지 마. 다음에는 더 잘할 거야.
④ 다시 만나게 돼서 기뻐.

12 M: How about going to the swimming pool this afternoon?
W: Sounds good. What time shall we meet?
M: How about 4 o'clock?
W: That's too late. Let's meet at 3 in front of the pool.
M: Okay.

12 M: 오늘 오후에 수영장에 가는 거 어때?
W: 좋아. 몇 시에 만날까?
M: 4시 어때?
W: 너무 늦어. 수영장 앞에서 3시에 만나자.
M: 좋아.

13 G: What are you doing now?
B: I'm practicing the guitar.
G: Do you like playing the guitar?
B: Yes, I want to be a famous guitarist.
G: That's cool. I hope that your dream will come true.

13 G: 지금 뭐하고 있어?
B: 나 기타 연습하고 있어.
G: 기타 치는 거 좋아해?
B: 응, 나는 유명한 기타리스트가 되고 싶어.
G: 그거 멋지다. 네 꿈이 이루어지길 바랄게.

14 W: ① A woman is reading a book.
② A man is standing next to the table.
③ A woman is holding a cup.
④ A man is wearing glasses.

14 W: ① 여자가 책을 읽고 있다.
② 남자가 식탁 옆에 서 있다.
③ 여자가 컵을 들고 있다.
④ 남자가 안경을 쓰고 있다.

15 B: What are you going to do tomorrow?
G: Tomorrow is my sister's birthday.
We will have a party for her at home.
B: Did you buy a present for her?
G: Yes, I bought her a teddy bear.

15 B: 내일 뭐할 거야?
G: 내일 내 여동생 생일이야. 그래서 집에서 파티를 할 거야.
B: 선물은 샀어?
G: 응, 곰 인형을 샀어.

16 G: Who is that man over there?
B: He's my uncle.
G: He's very handsome. Is he an actor?
B: No, he's a firefighter.

16 G: 저쪽에 있는 남자 누구야?
B: 삼촌이야.
G: 매우 잘생기셨다. 배우야?
B: 아니, 소방관이야.

17 B: Hello, everyone. My name is David. I'm from Hawaii. I'm twelve years old. I like swimming. My favorite food is fried rice.

17 B: 안녕, 모두들. 내 이름은 데이비드야.
나는 하와이에서 왔어. 나는 12살이야.
나는 수영하는 것을 좋아해. 내가 좋아하는 음식은 볶음밥이야.

18 W: May I use your phone?
M: ① Good night.
② Sure. It's on the desk.
③ Okay. Let's go.
④ My pleasure.

18 W: 네 전화기를 써도 되니?
M: ① 잘 자.
② 물론. 책상 위에 있어.
③ 좋아. 가자.
④ 나도 기뻐.

19 M: Who is the woman in the picture?
W: ① Yes, I love her.
② She's my mom.
③ Yes, it's sunny today.
④ She lives in Paris.

19 M: 사진에 있는 여자 누구야?
W: ① 응, 나는 그녀를 사랑해.
② 내 엄마야.
③ 응, 오늘 맑아.
④ 그녀는 파리에서 살아.

20 W: Did you go to the concert last night?
M: Yes, I did.
W: How was it?
M: ① It was really exciting.
② I miss you so much.
③ Well, it was not bad.
④ It was fantastic.

20 W: 지난밤에 콘서트 갔니?
M: 응, 갔어.
W: 어땠어?
M: ① 정말 신났어.
② 네가 무척 보고 싶어.
③ 음, 나쁘지 않았어.
④ 환상적이었어.

Word Check
본책 p. 148

01 밥
02 지하철
03 좋아하는
04 때때로
05 더 좋은
06 햄버거
07 잡고 있다
08 졸린
09 일어나다
10 다시
11 유명한
12 기타리스트
13 꿈
14 즐거움
15 고전음악

Sentence Check
본책 p. 149

01 Tony is my best friend.
02 I sometimes go fishing with my dad.
03 Look at the bird in the sky.
04 What's wrong?
05 You will do better next time.
06 The fitting room is over there.
07 I like classical music.
08 I had a bad dream.
09 I'm happy to see you again.
10 Let's meet at 3 in front of the pool.
11 I want to be a famous guitarist.
12 I hope that your dream will come true.
13 A woman is holding a cup.
14 Tomorrow is my sister's birthday.
15 It was really exciting.

| 1 ① | 2 ④ | 3 ③ | 4 ③ | 5 ④ | 6 ② | 7 ① | 8 ③ | 9 ④ | 10 ② |
| 11 ② | 12 ① | 13 ③ | 14 ③ | 15 ④ | 16 ② | 17 ④ | 18 ④ | 19 ④ | 20 ② |

듣기 대본 본책 p. 154

1 W: ① bridge
② airport
③ station
④ museum

2 M: ① school
② hospital
③ museum
④ science

3 B: Do you have any pets?
G: Yes, I have a cat.
B: What color is it?
G: It's white.

4 G: What are you doing, Kevin?
B: I'm cleaning my room.
G: Really?
B: Yes, I sometimes clean my room by myself.

5 W: ① How strong you are!
② What nice weather!
③ How tall you are!
④ What beautiful flowers!

6 B: What's your favorite subject?
G: I like science. How about you?
B: I like music.
G: Why do you like music?
B: I like singing.

7 B: Mom, how's the weather today?
W: It's very cold.
B: Can I go skating?
W: Yes, but you have to wear a coat.
B: Okay, Mom.

8 M: Do you like baseball?
W: No, I don't like outdoor sports.
M: Then, what's your favorite sport?
W: I like bowling.

해석

1 W: ① 다리
② 공항
③ 역
④ 박물관

2 M: ① 학교
② 병원
③ 박물관
④ 과학

3 B: 너는 반려동물이 있니?
G: 응, 고양이가 있어.
B: 무슨 색이야?
G: 하얀색이야.

4 G: 뭐하고 있어, 케빈?
B: 방 청소를 하고 있어.
G: 정말?
B: 응, 나는 때때로 혼자서 방 청소를 해.

5 W: ① 너는 무척 강하구나!
② 무척 멋진 날씨구나!
③ 너는 무척 키가 크구나!
④ 무척 아름다운 꽃이구나!

6 B: 네가 좋아하는 과목은 뭐야?
G: 나는 과학을 좋아해. 너는 어때?
B: 나는 음악을 좋아해.
G: 왜 음악을 좋아해?
B: 나는 노래 부르는 것을 좋아해.

7 B: 엄마, 오늘 날씨 어때요?
W: 매우 추워.
B: 스케이트 타러 가도 되나요?
W: 응, 하지만 코트를 입어야 해.
B: 알겠어요, 엄마.

8 M: 야구 좋아하니?
W: 아니, 나는 야외 스포츠를 좋아하지 않아.
M: 그러면, 네가 좋아하는 스포츠는 뭐야?
W: 나 볼링 좋아해.

9 ① B: Where are you from?
　　　G: I'm from London.
　　② B: What do you do in your <u>free time</u>?
　　　G: I play with my sisters.
　　③ B: How about playing tennis after school?
　　　G: Sounds great!
　　④ B: Hi, Amy. <u>How</u> <u>are</u> you doing?
　　　G: I'm going to the <u>bookstore</u>.

9 ① B: 어디서 왔니?
　　　G: 나는 런던에서 왔어.
　　② B: 자유 시간에는 뭐해?
　　　G: 나는 언니들이랑 놀아.
　　③ B: 방과 후에 테니스 치는 거 어때?
　　　G: 좋아!
　　④ M: 안녕, 에이미. 어떻게 지내?
　　　G: 나는 서점에 가고 있어.

10 W: What's your favorite season?
　　 M: I like <u>summer</u> best.
　　 W: Why?
　　 M: I <u>like</u> <u>swimming</u> in the sea when it is hot.

10 W: 네가 좋아하는 계절은 뭐야?
　　 M: 나는 여름을 가장 좋아해.
　　 W: 왜?
　　 M: 나는 더울 때 바다에서 수영하는 것을 좋아해.

11 M: ① You're welcome.
　　　② Thank you for your <u>kindness</u>.
　　　③ Don't be <u>sad</u>.
　　　④ They are lovely.

11 M: ① 천만에요.
　　　② 친절에 감사해요.
　　　③ 슬퍼하지 마세요.
　　　④ 그들은 사랑스러워요.

12 M: What did you buy at the market?
　　 W: I bought <u>some potatoes</u>.
　　 M: How many potatoes did you buy?
　　 W: I bought <u>five</u>. They are very <u>fresh</u>.

12 M: 시장에서 뭐 샀어?
　　 W: 감자를 좀 샀어.
　　 M: 얼마나 많은 감자를 샀니?
　　 W: 다섯 개 샀어. 무척 신선해.

13 G: Mike, how was your weekend?
　　 B: It was great. How about you?
　　 G: I had a good time with <u>my family</u>.
　　 B: What did you do?
　　 G: I went to <u>the movies</u> with my parents.

13 G: 마이크, 주말 어땠어?
　　 B: 좋았어. 너는 어때?
　　 G: 가족이랑 즐거운 시간을 보냈어.
　　 B: 뭐했는데?
　　 G: 부모님이랑 영화 보러 갔어.

14 M: ① Wake up, please.
　　　② Do you like reading?
　　　③ You have a <u>few cavities</u>.
　　　④ Don't <u>touch</u> that.

14 M: ① 일어나세요.
　　　② 독서 좋아하나요?
　　　③ 충치가 몇 개 있어요.
　　　④ 저것을 만지지 마라.

15 W: May I help you?
　　 M: I'm <u>looking for</u> a shirt.
　　 W: What size?
　　 M: I need one in <u>a large</u>.
　　 W: How about this yellow shirt?

15 W: 도와드릴까요?
　　 M: 셔츠를 찾고 있어요.
　　 W: 무슨 사이즈요?
　　 M: 라지 사이즈가 필요해요.
　　 W: 이 노란 셔츠는 어떠세요?

16 M: Excuse me, how can I get to the bank?
　　 W: Go <u>one block</u> and turn right.
　　 M: Go one block and <u>turn right</u>?
　　 W: Yes. It's on <u>your left</u>, next to the library.
　　 M: Okay. Thank you very much.

16 M: 실례지만 은행에 어떻게 가요?
　　 W: 한 블록 가셔서 오른쪽으로 가세요.
　　 M: 한 블록 가서 오른쪽이요?
　　 W: 예. 은행은 당신 왼쪽 도서관 옆에 있어요.
　　 M: 알겠어요. 정말 감사합니다.

17 M: Where are you going?
W: I'm going to the swimming pool.
M: I thought you had swimming lessons on Monday.
W: I moved the lesson to Friday.
M: Oh, I see.

18 W: Hi, Tony. This is my cousin, Amy.
M: ① This is not my pen.
② Sure, you can.
③ Okay, I'm sorry.
④ Nice to meet you.

19 B: What time do you have lunch?
G: ① Lunch time is 40 minutes.
② I have sandwiches for lunch.
③ I eat lunch at the cafeteria.
④ I have lunch at noon.

20 W: I'm going to a K-pop concert on Saturday.
Would you like to come with me?
M: ① It was really fun.
② I'd love to, but I don't have a ticket
③ I like listening to music.
④ How about you?

17 M: 어디 가고 있어?
W: 수영장에 가고 있어.
M: 네 수영 수업은 월요일이라고 생각했는데.
W: 수업을 금요일로 옮겼어.
M: 아, 알았어.

18 W: 안녕, 토니. 이 사람은 내 사촌 에이미야.
M: ① 이것은 내 펜이 아니야.
② 물론, 할 수 있지.
③ 좋아, 미안해.
④ 만나서 반가워.

19 B: 몇 시에 점심을 먹어?
G: ① 점심 시간은 40분이야.
② 나는 점심으로 샌드위치를 먹어.
③ 나는 구내식당에서 점심을 먹어.
④ 나는 정오에 점심을 먹어.

20 W: 나는 토요일에 K팝 콘서트에 갈 거야. 나와 같이 갈래?
M: ① 그거 정말 재미있었어.
② 그러고 싶은데, 표가 없어.
③ 나는 음악 듣는 것을 좋아해.
④ 너는 어때?

Word Check
본책 p. 160

01 다리	**04** 실외의	**07** 계절	**10** 신선한	**13** 사촌
02 공항	**05** 볼링	**08** 친절	**11** 구멍, 충치	**14** 구내식당
03 과목	**06** 서점	**09** 사랑스러운	**12** 만지다	**15** 콘서트

Sentence Check
본책 p. 161

01 I sometimes clean my room by myself.
02 How strong you are!
03 You have to wear a coat.
04 I don't like outdoor sports.
05 What do you do in your free time?
06 I like summer best.
07 Thank you for your kindness.
08 Don't be sad.
09 I had a good time with my family.
10 I went to the movies with my parents.
11 You have a few cavities.
12 May I help you?
13 It's on your left next to the library.
14 I moved the lesson to Friday.
15 I have lunch at noon.

| 1 ② | 2 ④ | 3 ④ | 4 ② | 5 ④ | 6 ② | 7 ② | 8 ② | 9 ④ | 10 ② |
| 11 ③ | 12 ① | 13 ② | 14 ④ | 15 ② | 16 ② | 17 ③ | 18 ④ | 19 ② | 20 ② |

듣기 대본
본책 p. 166

1 W: ① garden
② rose
③ sunflower
④ tree

2 M: ① A woman is singing.
② A woman is sleeping.
③ A woman is crying.
④ A woman is cooking.

3 W: ① leg
② head
③ nose
④ shoes

4 W: Who is the girl in the picture?
M: She is my younger sister.
W: She is very lovely. How old is she?
M: She is nine.

5 W: ① I go to school by subway.
② Please be quiet on the bus.
③ Who is singing on the bus?
④ Does this bus go to the airport?

6 B: Who is the man on stage?
G: He's my uncle.
B: Is he a pianist?
G: No, but he can play the piano very well.

7 W: Where is Mina?
M: She's in the living room.
W: What is she doing there?
M: She's watching TV.

8 M: How many classes do you have today?
G: What day is it today?
M: It's Tuesday.
G: I have five classes on Tuesdays.

해석

1 W: ① 정원
② 장미
③ 해바라기
④ 나무

2 M: ① 한 여자가 노래하고 있다.
② 한 여자가 자고 있다.
③ 한 여자가 울고 있다.
④ 한 여자가 요리하고 있다.

3 W: ① 다리
② 머리
③ 코
④ 신발

4 W: 그 사진 속의 소녀는 누구야?
M: 내 여동생이야.
W: 무척 사랑스럽다. 몇 살이야?
M: 9살이야.

5 W: ① 나는 지하철을 타고 학교에 간다.
② 버스 안에서는 조용히 해 주세요.
③ 누가 버스에서 노래하고 있니?
④ 이 버스가 공항에 가나요?

6 B: 무대 위의 남자가 누구야?
G: 내 삼촌이야.
B: 피아니스트야?
G: 아니, 하지만 피아노를 아주 잘 치셔.

7 W: 미나 어디 있니?
M: 거실에 있어.
W: 거기서 뭐하고 있어?
M: TV 보고 있어.

8 M: 오늘 수업이 얼마나 있어?
G: 오늘 무슨 요일이에요?
M: 화요일이야.
G: 화요일마다 수업이 다섯 개 있어요.

9 ① W: Who is the man next to the door?
　　　 B: I don't know.
　　 ② W: Did you clean the window?
　　　 B: Yes, I did.
　　 ③ W: Are these your glasses?
　　　 B: No, I don't wear glasses.
　　 ④ W: Did you break the window?
　　　 B: No, I didn't.

10 ① M: Where is your backpack?
　　　 W: It's on the desk.
　　 ② M: Who is in the room?
　　　 W: I play with my brother.
　　 ③ M: What did you eat for breakfast?
　　　 W: I had some bread.
　　 ④ M: When is your birthday?
　　　 W: It's September 19.

11 W: Is this your backpack?
　　 M: No, it isn't.
　　 W: What does your backpack look like?
　　 M: My backpack is green, and it has a pocket on the front.

12 M: ① You're welcome.
　　　 ② See you later.
　　　 ③ Have a nice day.
　　　 ④ See you soon.

13 B: Susan, are you free this afternoon?
　　 G: Well, I have to finish my homework first. Then, I will be free. Why?
　　 B: I'm going to the museum. Can you come with me?
　　 G: Of course.

14 W: ① Cross the street.
　　　 ② Pass me the ball.
　　　 ③ It's time to go to bed.
　　　 ④ Watch out!

15 M: ① Don't be sad.
　　　 ② Help yourself to the dish.
　　　 ③ Nice to meet you.
　　　 ④ Of course, I can.

9 ① W: 문 옆에 있는 남자 누구야?
　　　 B: 저도 몰라요.
　　 ② W: 너 창문 청소했니?
　　　 B: 예, 했어요.
　　 ③ W: 이것들이 네 안경이니?
　　　 B: 아니요, 전 안경을 쓰지 않아요.
　　 ④ W: 네가 창문을 깨뜨렸니?
　　　 B: 아니요, 제가 안 했어요.

10 ① M: 네 배낭 어디 있어?
　　　 W: 책상 위에 있어.
　　 ② M: 방에 누가 있어?
　　　 W: 나는 남동생이랑 놀아.
　　 ③ M: 아침에 뭐 먹었어?
　　　 W: 빵을 좀 먹었어.
　　 ④ M: 네 생일이 언제야?
　　　 W: 9월 19일이야.

11 W: 이게 네 배낭이니?
　　 M: 아니야.
　　 W: 네 배낭은 어떻게 생겼어?
　　 M: 내 배낭은 초록색에 앞에 주머니가 있어.

12 M: ① 천만에요.
　　　 ② 나중에 보자.
　　　 ③ 좋은 하루 보내.
　　　 ④ 곧 보자.

13 B: 수잔, 오후에 시간 있니?
　　 G: 음, 먼저 숙제를 끝내야 해. 그 다음에는 시간 있어. 왜?
　　 B: 나 박물관에 갈 거야. 나랑 같이 갈래?
　　 G: 물론이지.

14 W: ① 길을 건너라.
　　　 ② 나한테 공을 패스해.
　　　 ③ 잘 시간이다.
　　　 ④ 조심해!

15 M: ① 슬퍼하지 마라.
　　　 ② 음식을 마음껏 드세요.
　　　 ③ 만나서 반가워.
　　　 ④ 물론, 할 수 있어.

16 G: Jim, let's play <u>table</u> <u>tennis</u> after school.
B: I'm sorry, but I can't.
G: Why?
B: I have a toothache. I have to go to <u>the</u> <u>dentist</u>.
G: That's too bad.

17 W: How are you feeling today?
M: I'm tired and sleepy. I <u>didn't</u> <u>sleep</u> well last night.
W: What did you do last night?
M: I watched the <u>soccer</u> <u>game</u> on TV until midnight.

18 M: Do you have any <u>special</u> <u>plans</u> tomorrow?
W: ① It will be sunny tomorrow.
② I have some apples.
③ Sounds interesting.
④ No, <u>I</u> <u>don't</u>. Why?

19 B: Wow, there are a lot of toys here.
G: Do you have a special toy <u>in</u> <u>mind</u>?
B: ① No, I don't have a toy.
② Yes, I want to buy a <u>toy</u> <u>robot</u>.
③ I want to eat sandwiches.
④ Let's take a break.

20 M: Are you ready to <u>order</u>?
W: ① Not yet. What is today's special?
② I like sceince very much.
③ Can you wait for a minute?
④ Yes, I'd like a hamburger and some French fries.

16 G: 짐, 방과 후에 탁구 치자.
B: 미안하지만 할 수 없어.
G: 왜?
B: 치통이 있어. 치과에 가야 해.
G: 안됐다.

17 W: 오늘 기분 어때?
M: 피곤하고 졸려. 지난밤에 잠을 잘 못 잤어.
W: 지난밤에 뭐했는데?
M: TV로 축구 경기를 밤늦게까지 봤어.

18 M: 내일 특별한 계획 있니?
W: ① 내일 맑을 거야.
② 나는 사과가 좀 있어.
③ 재미있겠다.
④ 아니, 없어. 왜?

19 B: 와우, 여기에 장난감이 많다.
G: 특별히 마음에 둔 것이 있어?
B: ① 아니, 나는 장난감이 없어.
② 응, 장난감 로봇을 원해.
③ 나는 샌드위치를 먹고 싶어.
④ 쉬자.

20 M: 주문하시겠어요?
W: ① 아니, 아직요. 오늘 특별 요리가 뭐예요?
② 나는 과학을 아주 좋아해.
③ 잠시 기다려주시겠어요?
④ 예, 햄버거와 감자튀김으로 주세요.

Word Check

본책 p. 172

01 정원	**04** 무대	**07** 주머니	**10** 건너다	**13** 치과의사
02 요리하다	**05** 피아니스트	**08** 앞	**11** 너 자신	**14** ~까지
03 조용한	**06** 깨다, 휴식	**09** 나중에	**12** 특별한	**15** 자정, 밤중

Sentence Check

본책 p. 173

01 She is my younger sister.
02 I go to school by subway.
03 He can play the piano very well.
04 She is in the living room.
05 I have five classes on Tuesdays.
06 What did you eat for breakfast?
07 My backpack has a pocket on the front.
08 Have a nice day.

09 I have to finish my homework first.
10 Cross the street.
11 Help yourself to the dish.
12 I have to go to the dentist.
13 I'm tired and sleepy.
14 It will be sunny tomorrow.
15 Are you ready to order?

1 ③	2 ③	3 ④	4 ③	5 ②	6 ④	7 ④	8 ②	9 ②	10 ④
11 ②	12 ①	13 ④	14 ②	15 ②	16 ③	17 ①	18 ①	19 ①	20 ③

듣기 대본
본책 p. 178

1 W: ① carrot
② orange
③ watermelon
④ apple

2 M: ① The students are swimming in the sea.
② The students are crossing the street.
③ The students are studying in the classroom.
④ The students are playing soccer.

3 W: ① onion
② cucumber
③ pumpkin
④ fish

4 G: Do you have any brothers or sisters?
B: I have one older brother.
G: How old is he?
B: He's fifteen years old. He is a middle school student.

5 M: ① Happy birthday.
② Congratulations on your graduation!
③ Thank you for your kindness.
④ Please turn up the volume.

6 M: Who is your brother in the picture?
W: He is the one wearing shorts.
M: Is he your brother?
W: No, he is also wearing a baseball cap.

7 B: Mom, I'm home. Where are you?
W: I'm in the bedroom.
B: What are you doing there?
W: I'm cleaning the room.

8 W: ① I'm so sorry.
② Nice to meet you.
③ Long time no see.
④ Hurry up!

해석

1 W: ① 당근
② 오렌지
③ 수박
④ 사과

2 M: ① 학생들이 바다에서 수영하고 있다.
② 학생들이 길을 건너고 있다.
③ 학생들이 교실에서 공부하고 있다.
④ 학생들이 축구를 하고 있다.

3 W: ① 양파
② 오이
③ 호박
④ 생선

4 G: 너는 형제나 자매가 있니?
B: 형이 한 명 있어.
G: 몇 살이야?
B: 15살이야. 중학교 학생이야.

5 M: ① 생일 축하해.
② 졸업을 축하해!
③ 친절에 감사합니다.
④ 소리를 올려 주세요.

6 M: 사진에서 네 남동생이 누구야?
W: 그는 반바지를 입고 있는 애야.
M: 그가 네 남동생이야?
W: 아니, 그는 야구모자도 쓰고 있어.

7 B: 엄마, 집에 왔어요. 어디 계세요?
W: 침실에 있어.
B: 거기서 뭐하세요?
W: 방을 청소하고 있어.

8 W: ① 미안해.
② 만나서 반갑습니다.
③ 오랜만이야.
④ 서둘러!

9 ① W: How was your weekend?
　　 M: It was great.
　② W: Would you help me set up the tent?
　　 M: Sure. No problem.
　③ W: Let's go camping together.
　　 M: I'm sorry, but I can't.
　④ W: Can I borrow your tent?
　　 M: Yes, my tent is over there.

9 ① W: 주말 어땠어?
　　 M: 멋졌어.
　② W: 텐트 치는 것 좀 도와줄래?
　　 M: 물론이지. 문제없어.
　③ W: 같이 캠핑 가자.
　　 M: 미안한데 갈 수 없어.
　④ W: 네 텐트를 빌릴 수 있니?
　　 M: 응, 내 텐트는 저기 있어.

10 ① M: What's wrong?
　　 W: I have a headache.
　② M: Is something wrong, Jenny? You are late again.
　　 W: Sorry, I woke up late this morning.
　③ M: Do you have any pets in your house?
　　 W: Yes, I have a puppy.
　④ M: May I ask you a question?
　　 W: That's too bad.

10 ① M: 무슨 일이야?
　　 W: 두통이 있어.
　② M: 무슨 일이야, 제니? 또 늦었어.
　　 W: 미안해, 아침에 늦게 깼어.
　③ M: 집에 반려동물이 있니?
　　 W: 응, 강아지가 있어.
　④ M: 질문해도 되나요?
　　 W: 안됐네요.

11 W: What are you doing, Tom?
　　 M: I'm practicing the piano.
　　 W: How long do you practice the piano?
　　 M: I practice the piano for an hour.

11 W: 톰, 뭐하고 있어?
　　 M: 피아노 연습하고 있어.
　　 W: 피아노 연습을 얼마나 오랫동안 해?
　　 M: 한 시간 동안 피아노 연습을 해.

12 B: Mom, what's for dinner tonight?
　　 W: I'm making bibimbap.
　　 B: Really? I love bibimbap very much. Is there anything I can do for you?
　　 W: Can you wash the dishes after dinner?
　　 B: Okay.

12 B: 엄마, 오늘 저녁이 뭐예요?
　　 W: 비빔밥 만들고 있어.
　　 B: 정말요? 전 비빔밥을 아주 좋아해요. 제가 도와드릴 일 있나요?
　　 W: 저녁 먹고 설거지해줄래?
　　 B: 알겠어요.

13 M: Look at these flowers. They are very beautiful, aren't they?
　　 W: Yes, they are. What types of flowers do you like?
　　 M: I like roses most. How about you?
　　 W: I like tulips. Look! There are a lot of tulips over there.

13 M: 이 꽃들 좀 봐. 너무 아름답다, 그렇지 않아?
　　 W: 응, 그래. 너는 어떤 종류의 꽃을 좋아해?
　　 M: 나는 장미를 가장 좋아해. 너는 어때?
　　 W: 나는 튤립을 좋아해. 봐! 저쪽에 많은 튤립이 있어.

14 M: I want to send you an email. Can I have your address?
　　 W: I don't have an email address.
　　 M: Why don't you make one? It's easy, and it's free.
　　 W: Okay. Can you help me?

14 M: 너한테 이메일 보내고 싶어. 주소 알려줄 수 있니?
　　 W: 나 이메일 주소가 없어.
　　 M: 하나 만드는 게 어때? 쉽고 무료야.
　　 W: 좋아. 도와줄 수 있니?

15 B: Hi, everyone. My name is John Brown. I'm 13 years old. I'm from New York. I like reading books. My favorite food is pizza. I'm happy to meet you.

15 B: 안녕, 모두들. 내 이름은 존 브라운이야. 나는 13살이야. 나는 뉴욕에서 왔어. 나는 책 읽는 것을 좋아해. 내가 좋아하는 음식은 피자야. 너희들을 만나서 행복해.

16 W: John, let's go jogging tomorrow morning.
M: Okay. What time shall we meet?
W: How about 6:30?
M: That's too early. Let's meet at 7 o'clock.
W: Okay. See you then.

17 M: Excuse me. Where is the bookstore?
W: Well, go straight and turn left at the first corner.
M: Go straight and turn where?
W: Turn left at the first corner. You can see it on your right.
M: Thank you.

18 M: Hi, Nancy. How was your summer vacation?
W: ① It was wonderful.
② I like swimming in summer.
③ No, thank you.
④ No, I don't think so.

19 G: Paul, where did you buy the book?
B: ① I bought it at the bookstore.
② Yes, I like reading books.
③ No, it's not my book.
④ Let's go to the library.

20 W: Can I help you?
M: Yes. I'd like to mail this letter.
W: To where?
M: ① Yes, I want some paper.
② I want to go to Korea.
③ To Seoul. How much does it cost?
④ No, I don't have any brothers.

16 W:존, 내일 아침에 조깅하러 가자.
M:좋아. 몇 시에 만날까?
W:6시 30분 어때?
M:그건 너무 일러. 7시에 만나자.
W:좋아. 그때 보자.

17 M:실례합니다. 서점이 어디에 있죠?
W:음, 곧장 가서 첫 번째 모퉁이에서 왼쪽으로 도세요.
M:곧장 가서 어디로 가라고요?
W:첫 번째 모퉁이에서 왼쪽으로 도세요.
오른쪽에 보일 거예요.
M:감사합니다.

18 M:안녕, 낸시. 네 여름휴가가 어땠어?
W:① 멋졌어.
② 나는 여름에 수영하는 거 좋아해.
③ 아니, 고마워.
④ 아니, 난 그렇게 생각하지 않아.

19 G:폴, 그 책 어디에서 샀어?
B:① 그거 서점에서 샀어.
② 응, 나 책 읽는 거 좋아해.
③ 아니, 그것은 내 책이 아니야.
④ 도서관에 가자.

20 W:도와드릴까요?
M:예. 이 편지를 보내고 싶어요.
W:어디로요?
M:① 예, 저는 종이를 좀 원해요.
② 저는 한국에 가고 싶어요.
③ 서울로요. 비용이 얼마예요?
④ 아니요, 저는 형제가 하나도 없어요.

Word Check
본책 p. 184

01 수박	**04** 소리	**07** 두통	**10** 오늘 밤	**13** 무료의
02 호박	**05** 침실	**08** 질문	**11** 보내다	**14** 모두
03 졸업	**06** 빌리다	**09** 시간	**12** 주소	**15** 아주 멋진

Sentence Check
본책 p. 185

01 The students are studying in the classroom.
02 I have one older brother.
03 He is a middle school student.
04 Congratulations on your graduation!
05 Please turn up the volume.
06 Long time no see.
07 Let's go camping together.
08 I'm sorry, but I can't.

09 I woke up late this morning.
10 I practice the piano for an hour.
11 Is there anything I can do for you?
12 I want to send you an email.
13 Let's go jogging tomorrow morning.
14 Go straight and turn left at the first corner.
15 I bought it at the bookstore.

memo

memo

Longman

Listening mentor joy Series